Pierre Bellemare est né en 1929.
Dès l'âge de dix-huit ans, son beau-frère Pierre Hiegel lui ayant communiqué la passion de la radio, il travaille comme assistant à des programmes destinés à R.T.L.
Désirant bien maîtriser la technique, il se consacre ensuite à l'enregistrement et à la prise de son, puis à la mise en ondes.
C'est Jacques Antoine qui lui donne sa chance en 1955 avec l'émission Vous êtes formidables.
Parallèlement, André Gillois lui confie l'émission Télé-Match.
A partir de ce moment, les émissions vont se succéder, tant à la radio qu'à la télévision.
Pierre Bellemare ayant le souci d'apparaître dans des genres différents, rappelons pour mémoire :
Dans le domaine des jeux : La tête et les jambes, Pas une seconde à perdre, Déjeuner Show, Le Sisco, Le Tricolore, Pièces à conviction, Les Paris de TF 1, La Grande Corbeille.
Dans le domaine journalistique : 10 millions d'auditeurs, *à R.T.L.;* Il y a sûrement quelque chose à faire, *sur Europe 1;* Vous pouvez compter sur nous, *sur TF 1 et Europe 1.*
Les variétés avec : Pleins feux, *sur la première chaîne.*
Interviews avec : Témoins, *sur la deuxième chaîne.*
Les émissions où il est conteur, et c'est peut-être le genre qu'il préfère : C'est arrivé un jour, *puis* Suspens *sur TF 1; sur Europe 1* Les Dossiers extraordinaires, Les Dossiers d'Interpol, Histoires vraies *et* Dossiers secrets.

ŒUVRES DE PIERRE BELLEMARE et JACQUES ANTOINE

Dans Le Livre de Poche :

LES DOSSIERS EXTRAORDINAIRES DE PIERRE BELLEMARE.
LES NOUVEAUX DOSSIERS EXTRAORDINAIRES DE PIERRE BELLEMARE.
LES DOSSIERS D'INTERPOL, tome I.
LES DOSSIERS D'INTERPOL, tome II.
LES DOSSIERS D'INTERPOL, tome III.
LES DOSSIERS D'INTERPOL, tome IV.
LES DOSSIERS D'INTERPOL, tome V.
LES AVENTURIERS.
LES AVENTURIERS *(nouvelle série)*.
HISTOIRES VRAIES, tome I.
HISTOIRES VRAIES, tome II.
HISTOIRES VRAIES, tome III.
HISTOIRES VRAIES, tome IV.
HISTOIRES VRAIES, tome V.

PIERRE BELLEMARE

présente :

C'EST ARRIVÉ UN JOUR, tome I.
C'EST ARRIVÉ UN JOUR, tome II.
C'EST ARRIVÉ UN JOUR, tome III.

PIERRE BELLEMARE

Suspens

Tome I

TEXTES DE
MARIE-THÉRÈSE CUNY
JEAN-FRANÇOIS NAHMIAS
JEAN-PAUL ROULAND

ÉDITION N° 1/GÉNÉRIQUE

LE PREMIER CLIENT

Honoré Bertrand arrive de fort bonne humeur à son magasin d'antiquités du Village Suisse à Paris, ce 18 avril 1960. Il fait beau, une splendide matinée de printemps s'annonce. Quand il fait beau, les gens flânent, ils sont dans de meilleures dispositions, ils sont parfois enclins à faire un achat auquel ils se seraient refusés par un temps maussade.

Après avoir ouvert la porte de son magasin, Honoré Bertrand dépose de la monnaie dans sa caisse enregistreuse : 100 000 francs anciens. Si ses clients le paient par chèque pour les grosses sommes, pour les petits achats, ils le règlent en liquide.

Tout est prêt. Il est neuf heures du matin. Bertrand n'a plus qu'à attendre le premier client.

M. Bertrand est un peu sentimental. Le premier client, c'est très important pour lui. C'est lui qui donne la tonalité de la journée. S'il est sympathique, la journée sera bonne...

A travers la vitrine, Honoré Bertrand aperçoit un monsieur d'une quarantaine d'années en train d'examiner la devanture. Il est élégamment, quoique sobrement, vêtu d'un costume bleu. Il a l'air d'un connaisseur. M. Bertrand se prend à penser : « C'est un premier client idéal. »

L'instant d'après la clochette de la porte tinte. L'homme est entré. Honoré Bertrand se précipite. Il est sûr que la journée sera bonne. Depuis vingt ans qu'il fait ce métier, il ne s'est jamais trompé.

Tout sourire, il va au-devant de son client.

« Monsieur désire ? »

L'homme répond d'une voix polie :

« Avez-vous des appliques " Restauration " ? »

Honoré Bertrand arbore un air réjoui. Si son client est amateur de « Restauration », il a justement deux ou trois objets de ce style qu'il ne désespère pas de lui vendre en plus.

Après s'être absenté un instant, l'antiquaire revient avec un lot d'appliques. L'homme les considère sans un mot. Honoré Bertrand attend, le sourire au coin des lèvres, prêt à satisfaire la moindre curiosité... Et c'est alors que l'événement se produit.

L'événement se manifeste d'abord sous la forme du tintement de la sonnette. Honoré tourne la tête et son sourire professionnel se fige.

Le second client n'a pas – mais alors pas du tout – l'aspect du premier. Jamais Honoré Bertrand n'avait vu un individu pareil franchir le seuil de son échoppe. C'est un jeune homme qui ne doit pas avoir vingt-cinq ans. Il a les cheveux bruns gluants de laque, il est mal rasé et pour couronner le tout, il porte un blouson noir.

Du coup, l'antiquaire laisse son client avec ses appliques et se porte au-devant de l'intrus. Il lui lance :

« C'est à quel sujet ? »

Le jeune homme redresse une mèche qui lui tombait sur le front, met la main à sa poche et en retire un revolver.

« La caisse et vite ! »

M. Bertrand ne réagit pas. Il est trop stupéfait. Devant la mine du jeune homme, il pensait avoir affaire à un voyou, mais pas à un gangster, un vrai. Il reste les bras ballants, fasciné par le trou noir de l'arme pointée dans sa direction.

La voix du jeune homme le tire de sa stupeur.

« Tu as entendu ce que j'ai dit ? La caisse. Et dépêche-toi. Je ne le répéterai pas. »

Tout tremblant, l'antiquaire se dirige vers son bureau. Et c'est alors qu'il se produit quelque chose d'incroyable. Le premier client pose ses appliques sur une table basse et s'adresse au jeune homme.

« A mon avis, vous avez tort... »

Surpris, le voleur fait un quart de tour dans sa direction :

« Toi, ne fais pas le malin ! »

Il s'adresse de nouveau à l'antiquaire.

« Alors, la caisse, ça vient ? »

Mais – est-ce une impression ? – il semble que sa voix soit un peu moins assurée. Ce changement n'a pas dû échapper au premier client, car il reprend la parole.

« Vous avez tort parce que vous n'êtes pas à la hauteur. Qu'est-ce que vous êtes ? Pas même un voyou. Vous faites cela pour le raconter aux copains ou à une fille. Mais dans le fond, vous n'êtes pas un dur. Cela se sent à votre voix. »

On distingue des gouttes de sueur sur le front du jeune homme. Il pointe son arme.

« N'approchez pas, sinon... »

Le client fait posément un pas. Il y a un silence. Derrière sa caisse, Honoré Bertrand tremble de tous ses membres... L'homme reprend :

« Sinon, quoi ? »

Il baisse la tête en direction du revolver.

« Belle pièce... Mais ce serait plutôt une arme de collection. Elle doit dater de la dernière guerre. Je suppose que tu l'as prise à ton père... »

Le voleur fait un écart et l'homme un nouveau pas vers lui.

« Il ne faut pas être aussi nerveux, mon garçon. Et d'abord, je vais te donner un bon conseil. Quand on veut se servir d'un revolver, pour menacer les gens par exemple, il faut d'abord retirer le cran de sûreté. Sinon, tout l'effet est gâché. »

Il pointe le doigt vers l'arme.

« Le cran de sûreté, tu vois, c'est cette petite chose-là... »

Le jeune homme semble au bord de la panique. Il jette des regards désespérés à l'extérieur de la boutique comme s'il attendait un secours invisible. Le premier client, cette fois, sourit franchement.

« Mais à quoi cela aurait-il servi de retirer le cran de sûreté puisqu'il n'y a pas de balle dans ton arme ?... Est-ce que je me trompe ? »

A l'évocation de son arme non chargée, le jeune homme a brusquement une expression d'épouvante. Il promène alternativement son regard sur le client et sur l'antiquaire et, renversant tout sur son passage, il s'enfuit à toutes jambes...

Après avoir repris ses esprits, Honoré Bertrand

se précipite vers son sauveur. Il lui prend les mains avec effusion.

« Quel sang-froid, quel courage ! Monsieur, je ne sais comment vous remercier. Tenez, prenez n'importe laquelle de ces appliques. Elle est à vous. »

Le client a un geste modeste.

« Je vous en prie, ce n'est rien. On voyait tout de suite que le cran de sûreté n'était pas enlevé. »

L'antiquaire est pétrifié par l'admiration.

« Si, si, j'insiste. D'autant que, si je n'avais pas grand-chose en caisse, dans mon portefeuille, j'ai une grosse somme. Mais dites-moi, pour avoir un tel coup d'œil, vous faites partie de la police ? »

L'homme secoue la tête.

« Non, pas du tout... »

Honoré Bertrand prend ses appliques et les lui tend.

« Je vous en prie, choisissez celle qui vous plaît. Vous me ferez plaisir. »

Le client secoue encore une fois la tête.

L'antiquaire a un sourire gêné.

« Vous avez raison. Une applique ce n'est pas assez. Mais j'ai justement dans ma réserve quelques pièces " Restauration ". »

Le premier client l'interrompt d'un geste de la main.

« Ce ne sont pas vos appliques qui m'intéressent, cher monsieur, ni aucune de vos antiquités, c'est... votre caisse. »

Il sort alors de sa poche un pistolet automatique. Puis il fait un petit geste et montre une partie précise de son arme.

« Voyez-vous ce que je viens de faire ? J'ai retiré

le cran de sûreté. Je peux vous assurer que mon arme à moi est chargée et que je vais m'en servir. »

Il fait un signe du menton.

« Allez à votre caisse... »

Tandis que l'antiquaire, abasourdi, regagne sa caisse, le premier client précise d'une voix suave :

« Dans le fond, je n'ai eu aucun mérite tout à l'heure, puisque je suis de la partie. Il était évident que ce gamin n'était pas dangereux. Il n'avait aucune envergure. »

Et il ajoute, tandis que le commerçant ouvre son tiroir-caisse :

« S'il vous plaît, cher monsieur, n'oubliez pas votre portefeuille. Il paraît qu'il contient une somme importante... »

A ce moment, l'homme bien mis se retourne vivement. Il a tout juste le temps de remettre son arme dans sa poche. La clochette vient de tinter et la porte s'ouvre. Dans l'encadrement, le jeune voleur fait sa rentrée, poussé sans ménagement par un agent de police. Ce dernier s'adresse à l'antiquaire :

« Je l'ai vu sortir en courant de chez vous... »

Le malheureux Honoré Bertrand a la tête vide, à force de coups de théâtre répétés. Il est tout blanc. Il désigne d'un index tremblant l'homme qui lui fait face.

« Lui... C'est lui... Il a un revolver. »

Le premier client fait une tentative pour se diriger vers la porte, mais l'agent est là, qui lui barre la sortie. Alors, il a un haussement d'épaules fataliste. Il met la main à sa poche et tend son arme au représentant de l'ordre. Il commente en soupirant :

« S'enfuir en courant, quelle idée! C'était la meilleure manière de se faire prendre. Décidément, les jeunes d'aujourd'hui gâchent le métier. »

UN CRIME HORS DE PRIX

Ce soir-là, Robert Murat donne chez lui un dîner intime. Autour de la table, ils ne sont que trois : lui-même, sa femme Micheline et Henri de Beaujeu.

Robert Murat, grand industriel de la pétrochimie, a toujours su traiter magnifiquement ses hôtes. L'atmosphère est détendue, amicale. D'ailleurs comment en serait-il autrement ?

Henri de Beaujeu, lui-même très fortuné, puisqu'il possède des intérêts dans plusieurs banques privées, est de longue date un ami du couple. Robert Murat et lui se sont souvent associés pour des affaires qui se sont révélées particulièrement rentables. Rien ne semble devoir troubler la sérénité de cette soirée d'octobre 1964.

Henri de Beaujeu parle avec son aisance coutumière. Il est un peu plus âgé que son hôte. Il approche de la soixantaine. A côté de lui, Micheline l'écoute en souriant.

Micheline Murat, en parfaite femme du monde, a toujours su écouter. Elle sait donner à chacun l'impression que sa conversation l'intéresse. Le maître de maison, depuis quelque temps, reste silencieux. Il sourit en entendant son vieil ami faire des phrases. Et son sourire égal dissimule parfaitement la question qu'il se pose depuis le début de la soirée :

« Voyons, de quelle manière vais-je tuer Henri ?... »

Le repas touche à sa fin. En savourant son fromage, Robert Murat détaille son associé et ami... Mon Dieu, quel goût a donc sa femme ! Que peut-elle lui trouver de plus qu'à lui-même ? L'attrait de la nouveauté, sans doute. Mais leur liaison dure depuis plus de six mois.

Pourquoi a-t-il fallu qu'un après-midi Micheline lui dise qu'elle s'était rendue chez sa couturière et qu'il ait eu besoin de la joindre au téléphone ? Sa couturière ne l'avait pas vue depuis des mois.

Alors Robert Murat a engagé des détectives, les meilleurs, les plus chers. C'est ainsi qu'il a su que sa femme le trompait avec Henri de Beaujeu.

Henri parle maintenant de sa passion : les timbres. Il a une collection prestigieuse, fabuleuse, « la plus belle de France », avoue-t-il sans modestie. C'est à elle qu'il consacre le plus clair de son temps. Il entretient dans le monde entier une équipe de correspondants chargés de prospecter pour lui. Et quand une vente intéressante a lieu, fût-ce à l'autre bout de la planète, il n'hésite pas à tout abandonner pour s'y rendre. Il a même délaissé une fois Micheline.

Cette semaine-là, elle n'est pas allée chez sa couturière.

Le repas terminé, le café et les liqueurs sont servis. Dans un verre d'eau, Henri de Beaujeu avale un des médicaments qu'il prend depuis son infarctus. Robert Murat sourit en lui-même... C'est peut-être la solution : remplacer une de ses pilules par une autre, soigneusement préparée. Tout le monde croirait à un accident cardiaque...

Mais il secoue la tête. Non, trop compliqué. Pour cela, il faudrait la complicité d'un médecin et il ne voit pas comment l'obtenir. Pourtant, c'est l'empoisonnement qui a ses préférences.

Car il est hors de question qu'il tue son rival d'un coup de feu ou à l'arme blanche. Robert Murat n'est pas un violent. Et, surtout, il ne veut pas être pris, ses usines ont trop besoin de lui.

La soirée s'achève. Robert Murat accompagne son vieil ami avec cordialité. Il est indispensable que son crime soit parfait. Pour cela il mettra le temps et les moyens qu'il faudra. Il n'a jamais été pressé, et ses moyens sont pratiquement illimités...

Un an s'est presque écoulé. Nous sommes en septembre 1965. De nouveau, Robert Murat a convié son vieil ami et associé Henri de Beaujeu à un dîner intime. Rien n'a changé. La chère est excellente. Micheline écoute toujours son invité avec la même distinction courtoise.

Malgré tout, Robert ne peut s'empêcher d'admirer sa femme. Quelle maîtrise de soi, comme elle sait remarquablement cacher son jeu !

Henri de Beaujeu parle, comme à l'accoutumée. Et, comme à l'accoutumée, il parle philatélie. Il est en train de se plaindre des honoraires excessifs que lui réclament ses divers correspondants dans le monde.

Robert Murat ne dit rien, mais intérieurement il approuve. C'est vrai que ce genre d'équipe coûte une fortune. Lui-même, depuis un an, a la sienne. Il est déjà parvenu à prendre de vitesse Henri pour l'achat de quelques pièces rares. Mais ce n'était pas là le but de l'opération.

Le but, c'est ce que vient de lui annoncer son correspondant en Californie. Et c'est la raison pour laquelle il a invité Henri, ce soir. Il interrompt son invité d'une voix égale.

« A propos de timbres, mon cher Henri, est-ce que vous seriez intéressé par le *1 cent* 1856 de Guyane anglaise ? »

Henri de Beaujeu reste un moment interloqué. Mais il se reprend vite et se met à rire.

« Vous plaisantez, Robert, le *1 cent* de Guyane anglaise est le timbre le plus précieux du monde. Il n'y en a qu'un seul exemplaire et je sais parfaitement qu'il n'est pas à vendre. »

Robert Murat continue de la même voix apparemment indifférente :

« C'était vrai jusqu'à la semaine dernière. On vient d'en découvrir un second spécimen à Los Angeles et je m'en suis rendu acquéreur. J'ai pensé que c'était un bon placement. »

Henri de Beaujeu ouvre des yeux ronds. Il est tellement saisi que, pendant un moment, il est incapable de parler. Puis il finit par dire dans un souffle :

« Vendez-le-moi ! »

Le maître de maison a un geste prudent de la main.

« Je ne m'en séparerai pas facilement. Je vous ai dit que c'était un placement. En tout cas, venez me voir demain à mon bureau. Je vous le montrerai. »

Le lendemain, Henri de Beaujeu est au rendez-vous avec un quart d'heure d'avance. Sans prendre le temps de s'asseoir, il demande :

« Où est-il ? »

Robert Murat sort de son tiroir un petit écrin. Il l'ouvre avec lenteur. Les yeux exorbités d'Henri suivent chacun de ses gestes. L'industriel pose le précieux objet devant lui.

Aussitôt, Henri de Beaujeu se saisit de la loupe et du catalogue qu'il avait apportés. Avec des gestes de chirurgien, il se penche au-dessus du petit rectangle coloré. De temps à autre, il vérifie sur son catalogue l'exactitude d'un détail.

Tandis qu'il procède à son examen, on l'entend dire d'une voix blanche :

« C'est prodigieux ! Le voilier dessiné maladroitement en noir sur fond carmin... C'est cela, tout à fait cela ! »

Il se redresse enfin et lance à son ami :

« Cent millions, Robert. Cent millions de centimes ! »

Robert Murat reprend doucement l'écrin et le place avec précaution devant lui.

« Savez-vous, mon cher, que l'autre exemplaire de ce timbre a été trouvé en 1873 par un écolier anglais, dans un tas de vieilles lettres, et qu'il l'a vendu six shillings ? »

Henri de Beaujeu l'interrompt avec agacement :

« Bien sûr. Tous les philatélistes savent cela. Vous voulez faire monter les enchères ? Eh bien, d'accord : cent vingt millions. »

Robert se lève et revient avec une bouteille de champagne et deux coupes.

« Mon cher, si nous devons faire une transaction, il faut l'arroser. Nous allons trinquer ensemble. »

Son interlocuteur, de plus en plus nerveux, repousse sa coupe.

« Je n'ai pas soif, merci. »

Mais Robert ne l'écoute pas. Il débouche la bouteille et remplit les coupes.

« Si, si, buvez, j'y tiens. »

Après avoir trinqué, il s'installe posément dans son fauteuil et allume un cigare. Il sort de l'écrin le petit rectangle de papier et l'amène à la hauteur de ses yeux.

« Henri, connaissez-vous l'anecdote du comte de Ferrari ? »

Henri de Beaujeu ne peut plus maîtriser son tremblement.

« Mais oui, bien sûr. Cent vingt millions, Robert ! »

D'un air indifférent, Robert Murat s'est mis à jouer avec une allumette.

« Je vais pourtant vous la raconter... Au début de ce siècle, le comte de Ferrari était possesseur de l'unique exemplaire du *1 cent* connu jusqu'alors, or, par une chance extraordinaire, il en a découvert un second. Et vous savez ce qu'il en a fait ? »

D'une voix rauque, Henri de Beaujeu lance :

« Oui, je le sais. »

L'industriel joue toujours avec l'allumette.

« Il l'a brûlé, Henri. Parce qu'il a pensé qu'un seul exemplaire valait plus cher que deux. »

Henri de Beaujeu a blêmi. Il sort son carnet de chèques.

« Cent cinquante millions... c'est beaucoup plus que sa valeur. Mais je vous en supplie, cessez de jouer avec ce timbre. Vous ne pouvez pas vous rendre compte. Pour un vrai philatéliste c'est un trésor, un objet de culte. Cela fait des années que j'en rêve. Je vous fais un chèque et vous me le remettez. Vous êtes d'accord ? »

Robert Murat frotte l'allumette. La flamme est

à quelques centimètres du petit rectangle. Il l'approche encore un peu... Henri de Beaujeu pousse un petit cri étranglé. Mais il est trop tard, il y a une lueur. Le second exemplaire du *1 cent* de Guyane anglaise 1856 vient de brûler.

Retombé sur son fauteuil, Henri de Beaujeu sent une douleur fulgurante lui broyer la poitrine. Il a une grimace, il suffoque et tombe la tête en avant sur le bureau, terrassé par une crise cardiaque.

Robert Murat mélange soigneusement le petit résidu du timbre avec la cendre de son cigare... Une arme parfaite pour un crime parfait.

Une arme hors de prix, bien entendu, mais il avait les moyens. L'industriel considère le petit tas noir dans le cendrier et son rival sans vie.

En décrochant le téléphone, pour appeler une ambulance, il murmure :

« Tout n'est que cendres... »

LE SILENCE

VENDREDI 15 janvier 1938, deux heures de l'après-midi. La secrétaire de Martin Harisson, trente-six ans, patron d'une importante agence immobilière, est inquiète. Il est parti avec un client à onze heures et il n'est toujours pas de retour. Pourtant, il aurait dû revenir pour déjeuner.

Le téléphone sonne. Elle décroche. Au bout du fil, une voix étrange.

« Allô !... M. Harisson est entre nos mains. Avertissez son père qu'il prépare une rançon de 500 000 dollars. Et surtout qu'il ne prévienne pas la police. Comme preuve, vous recevrez une lettre de Martin Harisson au courrier de dix-sept heures. »

Affolée, la secrétaire appelle M. Harisson père. C'est une des plus grosses fortunes de San Francisco. Il se met immédiatement en rapport avec le chef de la police, Greg Parker. Celui-ci commence à prendre les mesures habituelles en pareil cas. Il informe de la nouvelle ses collaborateurs immédiats ainsi que quelques correspondants de journaux qui sont, comme tous les jours, à l'affût des informations au siège central de la police. Mais, de toute manière, on ne peut rien entreprendre pour l'instant. Il faut attendre la lettre de la victime.

La lettre arrive, comme annoncé, à dix-sept heures. M. Harisson père l'ouvre. C'est bien l'écriture de son fils. Il la lit à haute voix devant Greg Parker. Et, à mesure qu'il la lit, sa voix se brise.

« Cher Papa, je suis séquestré par cinq hommes qui exigent chacun 100000 dollars. Procure-toi le plus vite possible 500000 dollars en billets usagés sans signe distinctif; les numéros ne doivent pas se suivre. Surtout ne préviens pas la police. Ils me tueront immédiatement s'ils l'apprennent par les journaux ou la radio. »

Le chef de la police bondit sur le téléphone. Il a pris la menace au sérieux. Il sait que, dans les cas d'enlèvement d'adulte, les ravisseurs n'hésitent pas à supprimer leur victime s'ils se sentent en danger. Or la nouvelle est déjà connue de plusieurs journaux. Il faut absolument les empêcher de la publier.

A San Francisco, en 1938, il y a neuf stations de radio, trois agences de presse, cinq quotidiens, plus une douzaine de journaux de moindre importance. Tandis que M. Harisson père compulse fébrilement l'annuaire et lui passe les numéros, Greg Parker les appelle les uns après les autres :

« Ici le chef de la police. Un enlèvement vient d'avoir lieu dans la ville. Une rançon de 500000 dollars est exigée. Etes-vous au courant ? »

Les nouvelles vont vite dans le milieu journalistique. Une bonne partie des organes d'information est effectivement au courant. Greg Parker s'exprime d'un ton pressant, presque suppliant :

« Je vous demande de ne parler de rien avant que l'affaire soit terminée. »

A chaque fois, la réponse est la même :

« D'accord, à condition que tout le monde en fasse autant. »

Greg Parker le promet, alors qu'il n'est sûr de rien.

« Vous avez ma parole. Et je m'engage à vous tenir au courant de tous les développements de l'enquête. »

Dimanche 17 janvier 1938. Pour ne pas attirer l'attention, Greg Parker s'est installé dans un bureau du palais de justice. C'est de là qu'il dirige les opérations. Même à l'intérieur de la police, il a tenu la nouvelle secrète. Seuls vingt inspecteurs d'élite sont au courant et se tiennent en relation constante avec lui. A tous les autres, aux agents en uniforme en particulier, on a distribué une photo de Martin Harisson en leur disant seulement qu'il était « recherché ».

A onze heures du matin, la voiture de la victime est découverte dans un parking de la ville. Elle est aussitôt amenée dans la cour du palais de justice où les spécialistes de l'identité cherchent les empreintes éventuelles. L'examen n'ayant rien donné, elle est reconduite au parking à la place qu'elle occupait et un inspecteur est laissé en faction.

A quatre heures de l'après-midi, le chef de la police convoque les journalistes pour une conférence de presse. Il leur a recommandé d'arriver séparément pour ne pas donner l'éveil. Et, tandis qu'il leur raconte en détail les événements de la journée, la radio, les journaux se consacrent aux nouvelles sportives et à la maigre actualité politique du jour. Pour les habitants de San Francisco, ce 17 janvier est un dimanche comme tant d'autres où il ne se passe rien.

Lundi 18 janvier. Au courrier, il y a une nouvelle lettre de Martin Harisson :

« Cher Papa. Dieu merci, tu n'as pas prévenu la police. Surtout ne le fais pas maintenant. Ils sont plus que jamais décidés à me tuer s'ils l'apprennent. J'espère que tu as réuni la rançon. Ils t'appelleront ce soir au téléphone pour te donner leurs instructions. »

Greg Parker arrête immédiatement son plan. A cette époque, à San Francisco, le téléphone n'est pas encore automatique. Toutes les standardistes de la ville reçoivent le numéro de M. Harisson père. Elles ont la consigne de retarder au maximum les appels qui lui sont destinés afin que les spécialistes aient la possibilité de les localiser. Le soir, toutes les forces de police disponibles patrouilleront et seront prêtes à se rendre en quelques minutes à l'endroit indiqué.

Mais sera-t-il possible d'attendre jusqu'au soir ? Car, au même moment, un rebondissement dramatique est en train de se produire. Un journaliste de San Francisco vient de téléphoner à un ami qui travaille à l'agence *Associated Press* à New York pour lui raconter toute l'histoire. Est-ce que la communication était mauvaise, est-ce qu'il y a eu simplement un malentendu ? Mais l'ami new-yorkais n'a pas compris que la vie d'un homme était en jeu et à dix heures son agence diffuse la nouvelle. Toutes les rédactions des Etats-Unis voient tomber sur leurs téléscripteurs : « Enlèvement à San Francisco. Rançon de 500000 dollars réclamée. »

Greg Parker, prévenu immédiatement, téléphone à New York. En quelques mots, il explique tout au directeur de l'agence. A 10 h 15, tombe une nouvelle dépêche de l'*Associated Press* : « Enlèvement de San Francisco : la nouvelle doit rester secrète. La vie d'un homme en dépend. »

Chez les journalistes de San Francisco, la tension monte de minute en minute. Maintenant, tous les organes d'information des Etats-Unis sont au courant. Les principales stations de radio ne parleront pas. C'est sûr. Mais les autres ? Il n'y a pas dans la profession que des gens scrupuleux. Si une feuille de province, un petit poste local, s'emparait de la nouvelle ? Une information sensationnelle, inédite, quel tirage, quelle audience, quel coup de publicité ce serait !

Le temps passe lentement. Le soir arrive enfin. M. Harisson père et le chef de la police ont les yeux fixés sur le téléphone. A huit heures et demie, il sonne. C'est la même voix d'homme étrange, sans doute déformée à travers un mouchoir. « Monsieur Harisson, écoutez-moi bien... »

Soudain, la communication s'interrompt. On entend la voix de la standardiste.

« Vous avez été coupés. Allô ! demandeur... Parlez, demandeur. »

Un long grésillement suit, coupé de bribes de mots inintelligibles. Greg Parker a un soupir de soulagement. Ses instructions ont été parfaitement exécutées. L'appel va pouvoir être identifié.

Et effectivement le spécialiste des télécommunications l'appelle peu après par radio.

« C'est la cabine téléphonique 115, sur le port. »

Il y a une voiture de police à moins de deux cents mètres. Greg Parker entre immédiatement en contact avec elle. L'inspecteur qui lui répond fait partie de ceux qui sont dans le secret. Il sait ce qu'il doit faire.

La communication téléphonique a été enfin rétablie... Tandis que le ravisseur explique les détails de la remise de rançon, la voiture de police fonce vers la cabine. En un instant, la cabine est cernée, l'homme est ceinturé, il est pris...

Le ravisseur comprend tout de suite que la partie est perdue et que sa seule chance est de tout avouer. Il dit tout : l'endroit où est séquestrée la victime et le nom de son complice, car ils ne sont que deux.

Quelques minutes plus tard, les policiers sont sur les lieux, une baraque misérable du port. Ils frappent à la porte selon le code convenu. Un homme vient leur ouvrir. Lui aussi est totalement surpris. Il n'y a plus qu'à aller délivrer Martin Harisson, attaché sur un lit.

Le lendemain tous les journaux, toutes les radios de San Francisco et des Etats-Unis annoncent la sensationnelle nouvelle : « Martin Harisson a été enlevé le 15 janvier. La presse a tenu la nouvelle secrète pendant trois jours. Il est sauvé, grâce à elle. »

M. Harisson père, d'ailleurs, ne s'y est pas trompé. Quelques jours plus tard, il a remis solennellement 100000 dollars à la caisse d'entraide des journalistes.

QUOI DE NEUF, PUSSY CAT?

CE chat-là est un chat gâté, pourri, onctueux et gourmand. Il a le pelage fauve et noir, de longs poils angora et de splendides yeux d'or à paillettes. Il fut, il y a longtemps, champion « toutes catégories » des expositions félines. A présent, c'est une merveille de chat, gros et gras, qui vit dans une petite ville anglaise du comté de Nottingham, dans une charmante petite maison, sur un coussin de velours anglais, soyeux et réservé à son seul usage égoïste.

Mrs. Pikle, sa maîtresse, et Mr. Pikle, son maître, sont aux petits soins pour lui.

Ce matin, Pussy Cat est dans la cuisine, il ronronne dans les jambes de Mrs. Pikle qui remplit sa gamelle avec amour. Pussy renifle, goûte, puis se décide à tout engloutir délicatement. A présent il nettoie pattes, museau, moustaches, avec délectation. Et Mrs. Pikle le laisse seul dans la maison pour se rendre au marché.

Dix minutes passent. Sur le carrelage de la cuisine, Pussy secoue la tête et vacille légèrement, son œil se trouble, il fait quatre pas et s'écroule, à quelques centimètres de sa gamelle vide. Vingt minutes plus tard, Mrs. Pikle rentre chez elle.

C'est une femme effondrée, en larmes, qui en ressort immédiatement, tenant dans ses bras le corps inanimé de l'ex-plus beau chat d'Angleterre.

Mrs. Pikle est aux cent coups. Pussy, le merveilleux Pussy, âgé de sept ans, en pleine forme ce matin même, est dans le coma. La pauvre femme court chez le vétérinaire, serrant contre elle le petit corps flasque. Pussy Cat est tout pour elle. L'enfant qu'elle n'a pas eu, le mari toujours absent, l'ami qui écoute et se tait, l'objet de son admiration, de sa tendresse, de ses remontrances, de ses inquiétudes, de sa joie, de ses caresses, tout !

Et le vétérinaire qui l'accueille a bien du mal à déceler le problème, tellement la pauvre femme est affolée. Pussy Cat est toujours inerte, mais vivant, c'est ce qu'il constate. Mais le souffle est lent, très lent, le museau et les oreilles sont chauds.

« Voyons, Mrs. Pikle, ne pleurez plus et dites-moi ce qu'il a mangé ce matin.

– Du corned-beef !

– Eh bien, ne cherchez pas plus loin, c'est ça ! La boîte était sûrement mauvaise.

– Mais alors, il va mourir ?

– Nous allons lui faire un lavage d'estomac, il s'en sortira peut-être... »

Mrs. Pikle, effondrée, assiste donc à cette opération délicate et désagréable, tout à fait indescriptible si l'on veut garder quelque respect pour le corned-beef anglais.

Pussy Cat est toujours dans le coma, quand on le restitue lui aussi à sa maîtresse, accompagné d'une ordonnance et de multiples recommandations. Mrs. Pikle se rend tout d'abord à la pharmacie, prend ensuite le temps d'allonger Pussy dans son panier moelleux, et de le recouvrir tendrement d'une couverture de mohair tricotée par ses soins.

C'est en retournant dans la cuisine, et en contemplant la gamelle de Pussy Cat, en constatant qu'elle a été pourléchée jusqu'à la moindre miette que Mrs. Pikle hurle à nouveau et manque de s'évanouir. Puis un sursaut d'énergie la propulse au téléphone : C'est horrible, affreux, le corned-beef ! Pussy n'est pas le seul à en avoir mangé, Mr. Pikle aussi ! Sa femme lui a consciencieusement préparé des sandwiches pour son breakfast, moutarde, cornichon, corned-beef. Ce qui est bon pour le chat est bon pour lui, bien entendu. Et Mrs. Pikle se mord les doigts ! Comment n'y a-t-elle pas pensé plus tôt ? Elle appelle la police, et bafouille son problème avec une telle volubilité, que le policier de service en reste coi, tout d'abord. Puis il comprend :

« Du corned-beef empoisonné ? Il faut prévenir Scotland Yard !

– Mais non ! Ce n'est pas moi, je ne l'ai pas fait exprès, je n'ai pas empoisonné le corned-beef, c'est le corned-beef qui a empoisonné mon chat, donc il va empoisonner mon mari, vous comprenez ? »

Lorsque le policier a enfin compris, il prend l'affaire en main. Il note le nom du mari, celui de son employeur, l'adresse, le téléphone, et en moins de trois minutes il obtient le P.-D.G. de la gigantesque entreprise de bâtiment où travaille Mr. Pikle.

Ce n'est peut-être pas la meilleure chose à faire, car pour déterminer où peut bien se trouver son employé, le P.-D.G. a recours à une cascade de collaborateurs, et le tout prend au moins un quart d'heure. Enfin, il annonce triomphalement au policier :

« Nous l'avons localisé ! Il est sur un chantier au sud de Londres, à quinze kilomètres environ. »

Le policier note l'adresse, raccroche, calme l'épouse affolée et en un tour de main réclame par radio une ambulance et un motard pour lui ouvrir la route. Le temps passe. Il est midi, Mr. Pikle a dû ingurgiter ses sandwiches vers dix heures trente et il est peut-être trop tard. Tandis que l'ambulance fonce vers le lointain chantier, toutes sirènes dehors, le policier alerte le centre anti-poison et y expédie Mrs. Pikle. Là on presse Mrs. Pikle de questions précises :

« Du corned-beef ? Où est la boîte ?

– Je l'ai jetée !

– Où ? Quand ?

– Hier soir, dans la poubelle !

– Quelle marque ? Combien de tranches ?

– Je ne sais plus, cinq ou six...

– Comment est le chat ?

– Toujours dans le coma !... »

Et la pauvre Mrs. Pikle, effondrée, explique qu'il ne peut y avoir d'erreur. Il s'agit bien du corned-beef, son malheureux Pussy Cat en raffole, il en a mangé la valeur d'une tranche ce matin, le fond de la boîte.

Le chef du centre anti-poison appelle la société fabriquant le corned-beef, et explique la situation au directeur. On ne sait jamais, il peut s'agir d'une boîte accidentellement contaminée, mais s'il y en a d'autres, et si la consommation du corned-beef déclenchait une épidémie ?

Affolement général dans l'usine. Comment

savoir ? Comment prévenir les milliers de dépositaires ? Et la publicité ? Le renom de la marque ? Un corned-beef consommé depuis des lustres par toute l'Angleterre friande de cette viande en gelée ! Un corned-beef intouchable, aussi précieux pour la renommée d'Albion (bien qu'il vienne tout droit d'Argentine, ainsi que tout le monde le sait).

Il faut attendre vingt-quatre heures avant d'appeler les commerçants et la population. Il faut d'abord traiter Mr. Pikle et analyser ce qu'il a avalé. Sur son chantier, Mr. Pikle, coiffé d'un casque, grimpé tout en haut d'une grue, ne comprend rien aux hurlements qui lui intiment l'ordre de descendre de là immédiatement. A peine en bas, il se sent mal car l'infirmier lui demande tout de go :

« Vous avez mangé vos sandwiches ? Oui ? Alors suivez-nous, vous vous êtes empoisonné ! »

Saisi par quatre bras vigoureux, allongé sur une civière, ballotté à travers tout le chantier, Mr. Pikle se retrouve dans l'ambulance qui repart immédiatement en faisant hurler sa sirène. Mr. Pikle commence à comprendre. Il transpire, il a mal à l'estomac, il roule des yeux horrifiés.

Au centre anti-poison, sa femme se jette sur lui, le médecin, les infirmières, tout le monde se jette sur lui, et le reste est fort désagréable : tubage, vomitif, lavage d'estomac, et on recommence, tubage, vomitif, lavage d'estomac, piqûre anti-ci, potion anti-ça. Mr. Pikle n'est plus qu'une loque lorsqu'on le couche enfin sur un lit d'hôpital, où il grelotte et transpire d'une sueur glacée. Une piqûre calmante lui accorde enfin un repos bienfaisant. Et il s'endort.

« Il n'y a plus qu'à attendre, déclare le médecin, en raccompagnant Mrs. Pikle. J'espère que nous avons agi à temps. Rentrez chez vous, nous vous tiendrons au courant. »

Mrs. Pikle rentre chez elle en larmes. Tout le quartier commente l'aventure, et le bruit se répand immédiatement... « Corned-beef empoisonné... c'est le chat qui a donné l'alerte... » Et l'affaire prend des proportions nouvelles. Pussy Cat, allongé sur son coussin de velours, est toujours inanimé, ses magnifiques yeux d'or clos sur un sommeil pesant.

Une nuit passe, lourde d'angoisse.

Au petit matin, Mrs. Pikle observe Pussy Cat. Il est réveillé, quelque peu hésitant sur ses pattes de velours, mais debout. Quelques minutes plus tard, il ronronne dans les jambes de sa maîtresse, en réclamant sa pitance. Il va mieux ! Pussy Cat est sauvé, et Mrs. Pikle essuie une larme de soulagement, car cela veut dire que Mr. Pikle s'en sortira aussi. Les deux êtres qu'elle aime le plus au monde, Pussy Cat et son mari, sauvés.

C'est à ce moment qu'on gratte à la porte de la cuisine. Mrs. Pikle ouvre. C'est le laitier qui dépose sa bouteille comme chaque matin.

« Alors, Pussy Cat, quoi de neuf ? ça va mieux ?

— Bien, merci, répond Mrs. Pikle, mais comment saviez-vous qu'il était malade ?

— Eh bien, c'est ma faute, voyez-vous. Hier matin, en déchargeant ma caisse, je lui ai fait tomber une bouteille sur la tête, il s'est sauvé, vous n'étiez pas là et j'étais en retard dans ma tournée. J'espère qu'il n'a pas été trop assommé ? »

Un grave et lourd silence lui répond.

Le lendemain, le *Daily Mirror* titrait : « A propos des faux empoisonnements au corned-beef :

l'erreur de diagnostic d'un vétérinaire peut-elle être considérée, en certains cas, comme une faute médicale ? »

Ce à quoi les neuf vétérinaires de la ville, solidaires de leur collègue incriminé, répondirent par un communiqué vengeur : « S'il y a une leçon à tirer de cette affaire, c'est qu'il est imprudent de faire partager le même repas à son mari et à son chat ! »

Tout de même, un Pussy Cat assommé par une bouteille de lait, on aura tout vu. Ils sont fous, ces matous.

UN EMBOUTEILLAGE MONSTRE

SUR les quatre voies de l'autoroute qui mène à Los Angeles, des dizaines de voitures foncent comme des bolides aveugles.

Sur les quatre voies, dans l'autre sens, celui qui vient de Los Angeles, des dizaines de voitures foncent comme des bolides aveugles.

La limitation de vitesse et la pluie qui tombe à torrents ne changent rien à l'affaire, les conducteurs suivent leurs couloirs, l'œil fixé sur les lignes blanches, en automates disciplinés de la civilisation du pétrole.

Sommes-nous tous des automates ? Le sommes-nous devenus ? Et y a-t-il encore dans ces âmes d'automates le petit quelque chose qui sert à... qui sert à quoi, au fait ? qui aide à vivre et à aimer, qui sert à s'arrêter sur la route pour aider celui qui en a besoin, par exemple... Franck Vala est sur l'autoroute dans sa vieille fourgonnette et il a gardé de ses parents, misérables immigrants italiens, ce quelque chose qui fait de lui autre chose qu'un automate, justement.

Ce samedi de février 1969, il va voir sa vieille grand-mère et conduit prudemment, car sa femme est enceinte. C'est au moment où il aborde un large virage qu'une voiture le double sur la gauche et se rabat brusquement. Franck n'a même pas le temps de dire : quel fou !... la voiture quitte la route, heurte le grillage de sécurité en pleine vitesse et s'y encastre complètement. Réflexe normal, logique et humain, Franck ralentit et freine pour s'arrêter. Il se fait ainsi insulter à coups de klaxon par les voitures qui le suivent. Mais il est le seul à s'arrêter. Le seul à s'arrêter vraiment, dans certaines voitures les passagers regardent avec curiosité l'auto pliée, dont les roues tournent encore... puis repartent d'un air de dire : « Je m'en lave les mains, la mort des autres n'est pas mon problème. » La pluie redouble mais pour l'instant Franck ne fait attention qu'à la circulation, car il veut traverser l'autoroute et il a déjà bien du mal à ne pas se faire écraser. Prenant son courage à deux mains, il fonce en zigzag pour atteindre l'aire centrale. La voiture accidentée est vide, et le volant tordu. Franck en fait le tour et découvre à trois mètres, sous le grillage, une jeune femme évanouie... Elle saigne un peu, son bras droit a l'air cassé, mais rien de grave, elle a eu de la chance. Franck lui tapote les joues, dégage les morceaux de grillage qui la blessent et la couvre de sa veste, pour la protéger de la pluie. « Ne bougez pas, dit-il, je vais chercher du secours. » Puis il se penche pour entendre la petite voix de la jeune femme dans le grondement des voitures. Elle demande où est sa sœur...

Allons bon ! Elles étaient deux ! Et Franck ne

voit personne à proximité. C'est en regardant de l'autre côté, sur la chaussée d'en face, qu'il distingue une forme allongée à plat ventre. Elle a été éjectée à plusieurs mètres par-dessus les quatre voies, et c'est un miracle qu'elle ait atterri à la limite du bas-côté. Franck recommence son petit jeu de zigzag entre les voitures, pour traverser. Il se fait insulter à nouveau par les conducteurs surpris de voir un homme à pied sur une autoroute, mais cette incongruité ne les fait pas stopper pour autant.

Intérieurement, Franck les traite d'abrutis, et se penche sur le corps allongé. La jeune fille a la jambe gauche sectionnée à la hauteur du genou! Franck a un sursaut de terreur. D'abord, il n'y pense pas, il ne voit que la blessure, et puis la question logique et affreuse surgit : où est la jambe? Il regarde, regarde... cherche... mais ne voit rien. Bon sang! Que faire? La jeune fille respire, mais ses yeux sont clos. Alors Franck retire la ceinture de son pantalon et fait un garrot en serrant aussi fort qu'il peut. Dans sa tête galopent des idées rassurantes de greffes, c'est peut-être possible, on en a parlé dans les journaux, à condition d'aller vite, et que le membre ne soit pas endommagé...

Franck a maintenant deux choses à faire, trouver la jambe, et du secours. Il se met à faire de grands signes aux voitures, sous la pluie, ses deux bras en moulin à vent. Une voiture ralentit, le conducteur regarde la tête de Franck, et repart aussi vite! L'imbécile a eu peur de se faire attaquer. Il n'a pas compris.

Franck traverse à nouveau, il se dit que près de la voiture accidentée il aura plus de chance d'arrêter quelqu'un, et c'est en arrivant près du grillage qu'il « LA » découvre! La deuxième jeune fille a été projetée au travers, et c'est le grillage qui a sectionné la jambe. Franck s'efforce de la ramasser, il ne sait même pas pourquoi, ni ce qu'il va en faire, mais une sorte de répulsion l'en empêche. C'est terriblement impressionnant. Alors il ôte sa chemise trempée de pluie, et l'enveloppe avec précaution, sans regarder la chose en face.

A présent, il faut vraiment que des voitures s'arrêtent! Il le faut! Torse nu, grelottant sous l'averse, Franck se remet à faire de grands gestes en criant au secours, sur l'autoroute. Il y a à peine cinq minutes que l'accident s'est produit, si une ambulance arrive à temps... Tout est possible mais les voitures ne s'arrêtent pas. Il y en a qui ralentissent, qui regardent avec curiosité la voiture, roues en l'air, et filent vers leurs affaires, beaucoup plus importantes. Et ça dure, il y a ceux qui passent en trombe, ceux qui ralentissent tout juste, ceux qui prennent le temps de regarder sans voir... ceux qui s'arrêtent un peu, mais pas longtemps.

De trois choses l'une, ou la tête de Franck ne leur revient pas, ou ils n'imaginent absolument pas que quelqu'un a besoin d'eux, en particulier, ou l'explication que donne Franck leur fait peur.

Un homme, un brave père de famille avec sa caravane, en apercevant la jambe enveloppée dans la chemise de Franck, démarre même en trombe, au risque de provoquer un accident... Le léger ralentissement provoqué par son arrêt se résorbe aussitôt, et les voitures défilent à nouveau, indifférentes ou peureuses, sous les yeux de Franck hors de lui. A ce moment précis, si Franck avait une bombe, un bazooka, une mitraillette, un canon, n'importe quoi, il tirerait sur ces monstres à quatre roues, sur ces automates à têtes humaines, qui se fichent des ennuis, des blessures et de la mort des autres, qui ont peur de leur ombre, peur de gâcher leur week-end, mais jettent tout de même un coup d'œil sadique en passant, au cas où le spectacle donnerait le frisson. Avoir le frisson c'est bien, mais être concerné par ce frisson, c'est autre chose, c'est une implication, une responsabilité.

Chacun se dit : Ce n'est pas la peine de s'arrêter, ils vont être dix à le faire, ça ne me regarde pas, et puis on ne sait jamais, ce genre de chose ne vous attire que des ennuis. On veut rendre service et c'est à vous qu'il arrive les pires tracasseries... Vous connaissez le petit refrain? « Il ne faut jamais transporter un blessé dans sa voiture, car s'il en meurt, vous êtes responsable. » C'est ce genre de refrain idiot qui sert d'alibi à l'indifférence criminelle des automates de la route...

Alors la rage se saisit de Franck, une rage énorme, venue du fond des âges. Puisque ces gens sont des monstres, il va réagir en loup! Puisqu'ils ont peur, il va devenir gangster! Puisqu'il faut leur voler du secours de force, il va accomplir un hold-up! Puisque leur conscience est dans un coffre-fort, il n'y a pas d'autre technique!

A la première voiture qui ralentit un peu, Franck dit au conducteur : « Arrêtez-vous, j'ai seulement besoin d'un coup de main » et au moment où le conducteur descend, il lui vole ses clefs de contact. La file de droite est ainsi immobilisée. Et tandis que le conducteur braille, Franck passe au suivant sur la deuxième file et fait exactement la même chose. Il se fiche pas mal des hurlements, il se fiche éperdument que leurs voitures se fassent caramboler ou non. Il a la chance de tomber sur un camion pour la troisième file et ça lui fait un beau bouchon. Enfin un chauffard tente de passer sur la dernière file, au risque d'écraser Franck. Blanc de rage, Franck attrape le conducteur par le col, le regarde bien dans les yeux, et lui crache :

« Ecoute-moi bien, toi, tu vas descendre de ta bagnole, tu vas prendre celle-là, celle du monsieur qui est là, comme ça je serai sûr que tu reviendras, sinon il t'accusera de vol et tu vas me ramener du secours, une ambulance, les pompiers, la police, tout le monde, t'as compris ? Et si tu ne le fais pas, foi de Franck, je te retrouve, je t'assomme et je te fais fiche en prison pour non-assistance à personne en danger ! »

Et tandis que l'homme épouvanté file chercher du secours à Los Angeles, Franck cherche dans les voitures arrêtées une couverture, un peu d'alcool, de quoi protéger la jeune fille dans le coma, de quoi réconforter l'autre, et il laisse les conducteurs s'indigner entre eux de ses méthodes de gangster, les clefs de contact sont dans sa poche, qu'ils essaient donc de venir les prendre.

L'ambulance est enfin arrivée avec la police, et tout est rentré dans l'ordre. Les deux jeunes filles ne sont pas mortes, et même si la greffe n'a pas réussi sur Lisbeth Collers, vingt-deux ans, ce n'était la faute de personne, en 1969, la technique n'était pas au point.

Le *Times* de Los Angeles a publié l'histoire, et la fondation Carnegie a décerné à Franck la médaille de bronze de l'héroïsme. Mais à tous les autres qui passèrent ce jour-là, sans s'arrêter, à tous ceux qui klaxonnèrent d'impatience, ou repartirent en trombe, à tous ceux qui ralentirent simplement de curiosité, nous décernons aussi une médaille d'or, et qu'ils devinent laquelle !

LE CHATEAU MAUDIT

Il était une fois, en 1924, ce qui n'est pas vieux pour un conte, une dame. Et comme dans tous les contes, la dame était belle, blonde et mystérieuse. Belle comme le jour, blonde comme les blés, et mystérieuse comme une étrangère. Bien sûr, elle habitait un château, et à des lieues à la ronde les paysans vantaient sa beauté. Gardée par un mari jaloux, on ne la voyait guère, et il advint qu'elle mourut par un soir d'orage...

Il n'en fallait pas plus pour faire naître la légende. Mais il en fallut beaucoup pour la perpétuer.

C'était en France, et de nos jours le château n'est plus que ruines. Isolé, sinistre, et mystérieux à souhait. Le plus proche village est à trois kilomètres. Entre le château et le village : une seule maison dans la forêt, celle du garde-chasse, un homme solitaire.

Dans le château, M. de B., le mari jaloux, et deux domestiques si âgés qu'ils ont l'air de deux fantômes.

Tous trois veillent en silence. Sur un lit à baldaquin repose la dame, que l'on va enterrer dans la crypte, aux côtés des ancêtres de M. de B. Le curé du village n'a pas obtenu l'autorisation de donner les sacrements et de bénir la défunte, qui n'était pas catholique. Le médecin est venu, puis reparti, impuissant. La dame est morte.

C'est une cérémonie lugubre, par un après-midi d'hiver, dont l'unique témoin étranger au château sera le charpentier, venu livrer le magnifique cercueil de chêne. C'est lui qui racontera au village le peu qu'il aura vu. Et comme il en a vu peu, il en racontera beaucoup, c'est humain parfois.

« Le visage de la dame était recouvert d'un voile de dentelle. Les deux domestiques étaient à genoux et pleuraient. Le mari tournait le dos et regardait par la fenêtre, c'est le garde-chasse qui m'a aidé à la mettre en bière. Elle ne pesait pas lourd. On a porté le cercueil tous les deux jusqu'à la crypte, on l'a déposé dans un caveau et le garde a reposé la pierre par-dessus. Le mari n'est même pas descendu avec nous. Ensuite, le garde m'a emmené à la cuisine, il m'a payé, sans même m'offrir un verre de vin, et je suis reparti. Moi je vous le dis, c'est pas un enterrement bien catholique. »

Ainsi naissent les légendes, qui ne font que croître et embellir au long des années, rapportées de bouche à oreille complaisante, déformées, dénaturées, dangereuses, vipérines.

M. de B., noble à la fortune déchue, avait épousé en 1920 une jeune et ravissante Autrichienne de vingt ans. Elle est donc morte à vingt-quatre ans et l'on dit que son cruel époux l'aurait assassinée. Comment? Les avis sont partagés.

Empoisonnée, étranglée, voire enterrée vivante, on ne craint pas d'aller jusque-là.

Dans cet état d'esprit, personne ne veut aller travailler au château. De plus M. de B. a mis à la retraite (cela aussi c'est bizarre) les deux vieux domestiques qui le servaient fidèlement depuis des années, presque sans gages. Il a donné à son garde-chasse (et cela aussi c'est bizarre) la maison qu'il habite sur ses terres, car il ne peut le payer. Le château est à l'abandon. Frédéric de B., quarante-cinq ans, n'en occupe qu'une seule pièce, où il a rassemblé de quoi vivre. On ne l'a vu qu'une fois au village demander à M. le maire de lui trouver une servante pour faire sa cuisine et entretenir son linge. Mais personne ne s'est présenté. L'homme et le château faisaient trop peur aux donzelles.

Alors, compatissant, M. le curé a réussi à obtenir une orpheline de la ville, en âge d'être placée. En 1925, Emilie débarque au château avec une maigre valise et un chapeau ridicule. Les orphelins ne craignent pas les châteaux maudits, c'est bien connu. Et les orphelins n'ont rien à dire quand on les dépose quelque part pour y travailler, c'est bien connu également.

Celle-ci a vingt-deux ans, et l'air d'un chien battu. Le village ne l'aperçoit que quelques minutes à son arrivée à la gare. Le garde-chasse est déjà là qui l'emmène en carriole. Et le mystère reprend ses droits, en refermant sur Emilie les portes du château.

M. le curé a beau dire que la moralité de M. de B. est au-dessus de tout soupçon, on ne le croit guère. N'a-t-il pas été lui-même écarté de l'enterrement de la châtelaine ?

D'ailleurs, la voix du peuple avait raison. M. de

B. épouse l'orpheline un an plus tard, à la mairie du village, avec, pour seuls témoins, le garde-chasse et l'employé municipal. L'époux a quarante-sept ans, et le village aperçoit une jeune mariée triste, aussi noire que la première était blonde. Aussi laide que la première était belle. Et l'année suivante... la seconde femme du châtelain meurt par un soir d'orage.

Un silence réprobateur et lourd de suspicion accueille la nouvelle, amenée cette fois par M. le curé, admis auprès de la défunte pour lui apporter l'ultime sacrement. Emilie est morte à vingt-quatre ans, comme la première femme. Comme la première fois, le charpentier du village apporte un magnifique cercueil de chêne. Comme la première fois, il le descend à la crypte avec l'aide du garde-chasse. On le paie à la cuisine sans lui offrir un verre de vin, et il raconte :

« Le mari n'est pas descendu avec nous, le visage de la jeune femme était recouvert d'un voile de dentelle, tout comme l'autre. Moi je vous dis qu'il y a du crime là-dessous ! Deux jeunes femmes qui meurent toutes seules dans ce château sinistre, sans qu'on sache pourquoi ni comment... et qu'on enterre comme des voleurs. Je serais le maire, que j'irais y mettre mon nez ! »

C'est ainsi que M. le maire, pas très rassuré, s'en va rendre visite au médecin du village pour lui demander dans quelles conditions sont mortes à si peu d'intervalle les deux épouses du châtelain. Et le médecin l'envoie promener poliment, mais fermement :

« J'ai délivré deux permis d'inhumer, en bonne et due forme, qui devraient vous suffire. Je n'ai pas à révéler ce qui fait partie du secret professionnel. Libre à M. de B. d'en faire état ou non.

– Mais docteur, ces deux morts sont suspectes ! On dit dans le village que le visage des deux jeunes femmes était dissimulé par un voile... pourquoi ?

– Ceci ne regarde que M. de B. Maintenant si vous n'êtes pas convaincu, libre à vous d'aller voir les gendarmes, ce n'est pas mon affaire. Vos " on dit dans le village " les intéressent peut-être, mais pas moi. »

Et les choses en restent là, provisoirement. Que faire en effet, si le médecin, qui représente la science, ne voit rien de mystérieux dans l'affaire ?

Cela dure jusqu'au jour où M. de B. se présente à nouveau devant M. le maire, nanti d'une nouvelle épouse, la troisième. La fille du garde-chasse.

Amélie n'a que dix-huit ans. A peine rentrée du pensionnat où elle était enfermée depuis l'âge de dix ans, la voilà donc future prisonnière du château, et pourquoi pas, future victime du châtelain. On marmonne alentour que ce nouveau Barbe-Bleue ne fera qu'une bouchée de la frêle et pâle enfant...

Comme d'habitude, la cérémonie est réduite à sa plus simple expression. Deux témoins pris sur place entendent prononcer deux « oui »... l'un d'une voix basse et lugubre, l'autre d'une petite voix résignée.

M. de B. a aujourd'hui cinquante ans. Amélie a l'air d'une gamine, poussée très vite, et trop à l'ombre.

En prononçant la phrase traditionnelle : « Si quelqu'un doit empêcher ce mariage, qu'il se fasse connaître », le maire a vaguement l'espoir qu'il se passera quelque chose. Mais qui, entre lui, les deux témoins, le garde-chasse et les deux époux, aurait quelque chose à dire ?

Amélie s'en va, conduite par son père, dans la carriole à cheval, et soutenue par son mari. Silencieux, le village les regarde par-derrière les volets mi-clos, et chacun pense la même chose : « Pauvre enfant, c'est une honte, son père l'a vendue au châtelain comme une bête, elle n'a plus sa mère, et c'est bien dommage, une mère n'aurait jamais laissé faire une chose pareille. »

Il reste que le châtelain a le droit d'épouser qui il veut, et le garde-chasse celui d'autoriser sa fille à l'épouser. Que ces gens-là ne parlent pas, qu'ils ne fréquentent jamais les gens du village, ce n'est pas un crime. Que le châtelain soit veuf par deux fois, ce n'est pas un crime non plus. Mais si jamais la petite Amélie mourait à son tour, alors là...

Et l'on s'agite. On espionne. On guette le garde-chasse quand il vient au marché, on lui demande sournoisement des nouvelles de sa fille. Il ne répond que par monosyllabes. Quelques envieux vont guetter aux alentours du château sans en tirer beaucoup d'informations. Au fil des années, l'intérêt s'émousse.

Amélie ressemble plus à une domestique qu'à une châtelaine. Elle s'occupe des poules et des lapins, ramasse le bois mort, et ne va jamais, jamais, au village, comme personne ne va jamais, jamais, au château, à part le médecin.

Le médecin pour la troisième fois vient rendre visite à la troisième épouse de M. de B. mourante, en son château, à l'âge de vingt-quatre ans, comme les autres. Et le curé, mandé par le garde-chasse, vient lui administrer l'extrême-onction, un soir d'orage. Et le charpentier arrive avec son troisième cercueil en chêne massif.

Cette fois le village gronde, et les gendarmes à cheval montent l'allée du château maudit, où ils arrivent juste pour l'enterrement.

Devant eux, un homme usé, aux traits ravagés par le désespoir. Il tourne le dos à la jeune morte, dont le visage est recouvert d'un voile de dentelle. M. le curé, le médecin et M. le maire se tiennent dans un coin, vaguement effrayés.

« Que se passe-t-il ? demandent les gendarmes.

— Elle est morte, répond M. de B. C'est une malédiction.

— Votre avis, docteur ?

— Je ne crois pas aux malédictions. Amélie est morte de tuberculose.

— Votre avis, monsieur le curé ?

— Elle est décédée chrétiennement, c'est tout ce que je peux dire. »

Le garde-chasse se tait. Il contemple le corps de sa fille, les larmes aux yeux. Alors les gendarmes débitent, sur un ton officiel, la raison de leur visite. Elle n'est pas claire, mais péremptoire :

« Monsieur de B. Vu les circonstances, etc. Veuillez nous suivre, s'il vous plaît ! »

M. de B. qui contemplait l'hiver à travers les carreaux baisse la tête avec lassitude et murmure :

« Je suis maudit... maudit... »

Et le lendemain, il se suicide en prison.

Belle et sinistre histoire d'un châtelain et de ses trois jeunes femmes en un château maudit, où la mort rôdait les soirs d'orage, pour venir emporter les jeunes épousées dans leur 24e année. Mais l'enquête s'achève deux mois plus tard, apportant les conclusions suivantes :

« Première Mme de B., morte de tuberculose aiguë, un point c'est tout.
« Seconde Mme de B., morte de tuberculose aiguë, deux points c'est tout.
« Troisième Mme de B., morte de tuberculose aiguë, trois points c'est tout. »

Le garde-chasse raconte enfin, puisqu'il y est contraint, sa longue amitié avec son maître. Ils ont fait ensemble la guerre de 14, et il lui doit la vie.

M. de B., dernier représentant d'une noble famille, voulait un héritier à tout prix, pour que ne meurent pas les vieilles pierres, que vive la forêt et que revive la terre. Aucune de ses femmes ne lui donna d'enfant. Et il est probable qu'il en était le seul responsable, mais il les aima toutes les trois, et de toutes ses forces. La première parce qu'elle était belle, la deuxième parce qu'elle était bonne, la troisième parce qu'elle avait accepté de remplir ce contrat impossible : lui donner un héritier, avec l'accord de son père. Une sorte de dette que ce dernier voulait payer, en échange de sa vie, sauvée jadis par son maître. Un maître maudit, comme il le disait lui-même.

Seul le médecin n'est pas d'accord. Après avoir longuement réfléchi au problème, il croit plutôt à la contagion. Lui seul savait que M. de B. était condamné par la même maladie, à brève échéance. Seule sa constitution plus robuste lui avait permis de résister plus longtemps. Mais il aurait fallu détruire cette chambre d'épousée, avec son lit à baldaquin, ses draps de grosse toile, ses vieilles tapisseries, ces tapis d'un autre âge, aux fenêtres éternellement closes sur le froid du dehors. Il aurait fallu épousseter, désinfecter, ouvrir aux courants d'air et au soleil.

Mais on ignorait encore dans les campagnes, à cette époque, qu'une chambre du XIIIe siècle pouvait être un bouillon de culture mortel, véritable nid de bacilles de Koch.

Alors, que reste-t-il de la légende ? Trois jeunes épousées sont mortes un soir d'orage, à vingt-quatre ans. Pourquoi l'orage et pourquoi vingt-quatre ans ? La voilà, la dernière part du mystère, qui fait que l'on parle encore du château maudit, dont les ruines lugubres n'appartiennent plus à personne.

LEQUEL DES DEUX ?

17 JUILLET 1971. Une voiture est arrêtée dans une rue déserte de Pontiac dans l'Etat du Michigan. A l'intérieur, un couple d'amoureux : Tommy Barton, dix-neuf ans, et Doris Lewin, dix-sept ans. Il est une heure du matin. Les deux jeunes gens, sensibles au romantisme de cette belle nuit de pleine lune, ne se préoccupent que d'eux-mêmes. Aucun d'eux n'a vu le groupe de trois hommes qui s'approche silencieusement derrière...

Et brutalement, c'est l'agression. L'un des trois hommes braque un revolver sous le nez du jeune homme, à travers la fenêtre ouverte.

« Pas un cri, pas un geste ! Allez, monte derrière et plus vite que ça ! »

Tommy Barton, livide, s'exécute. A l'avant, Doris, les yeux hagards, retient ses larmes. L'homme s'est installé au volant. Ses deux compagnons sont montés à l'arrière. Eux aussi sont armés d'un revolver.

Après un démarrage en catastrophe, la voiture file rapidement à travers les rues de la ville endormie. Sur le siège avant, Doris sanglote doucement. Tommy sent l'angoisse monter inexorablement en lui. Que leur veulent-ils ? Où les emmènent-ils ? Aucun d'eux n'est masqué, ne cherche à dissimuler ses traits, comme si cela n'avait aucune importance, comme si...

La voiture a quitté la ville. C'est maintenant la pleine campagne. Tommy Barton frissonne : la pleine lune, qui éclaire les champs, a maintenant un aspect sinistre.

Le chauffeur donne brusquement un coup de volant à droite et s'engage dans un chemin de terre. Après quelques centaines de mètres, il stoppe... Tommy Barton a aussitôt la certitude que c'est la fin.

Les deux hommes qui étaient assis à côté de lui se précipitent sur Doris, tandis que le chauffeur se retourne et pointe son arme.

« Allez, sors. On va se promener. »

Tommy quitte la voiture. Sous la lune, l'étendue uniforme des champs de pommes de terre semble appartenir à une autre planète. Au loin, il voit Doris qui se débat, qui appelle à l'aide, qui hurle...

Tommy Barton sait que l'homme va tirer. Comment en serait-il autrement puisqu'il l'a parfaitement reconnu et que l'autre n'a l'air nullement inquiet ? Au contraire, il sourit.

Tommy s'est brusquement jeté à gauche. Il a senti partir le coup, la balle lui a frôlé la joue. Maintenant, il court comme un fou. Une seconde balle siffle à ses oreilles. Une troisième détonation retentit. Il ressent une douleur fulgurante dans le dos. Avant qu'il ne s'écroule, une autre terrible douleur lui traverse la poitrine.

La bouche remplie de terre, Tommy Barton entend le pas de l'homme qui s'approche. Sa seule chance est de faire le mort. L'homme se penche, le retourne du bout du pied, hésite un instant et repart.

Pendant un temps qui lui semble interminable, Tommy entend les hurlements de Doris. Brusquement, il y a un coup de feu suivi d'un court silence et d'un bruit de moteur. La voiture passe tout près de lui, s'éloigne, et c'est le silence définitif.

Malgré sa faiblesse, Tommy se lève, couvert de sang. En titubant, il avance parmi les champs. La centaine de mètres qu'il doit parcourir lui semble interminable. Enfin, il arrive sur les lieux où se trouvait Doris : elle est entièrement nue. Elle porte une plaie béante au front. Tommy Barton s'évanouit...

Le jeune homme reprend conscience à l'hôpital. Les infirmières lui apprennent qu'il vient de passer une semaine entière entre la vie et la mort, mais qu'il est tiré d'affaire. Elles lui annoncent aussi une visite, la première. C'est un officier de police, le lieutenant Pickford.

« Ne vous agitez pas, monsieur Barton. Dites-moi seulement si vous avez reconnu vos agresseurs. »

Le blessé répond d'une voix faible :

« Oui, celui qui a tiré sur moi, c'était Taylor. Il habite tout près de chez moi. »

Le lieutenant a sorti son bloc-notes.

« Parfait. Quel prénom ?

– Bob ou Gilbert... »

Le lieutenant Pickford parle d'une voix douce :

« Vous ne vous souvenez pas du prénom, cela n'a aucune importance, monsieur Barton. J'en sais déjà assez. »

Mais Tommy Barton se redresse sur son lit et s'agite.

« Mais si, c'est important, très important ! C'est Bob ou Gilbert Taylor. Mais je ne sais pas lequel. Ce sont des jumeaux. »

Le lieutenant Pickford continue à prendre des notes.

« Voyons, monsieur Barton, vos agresseurs étaient trois. Je suppose donc que le frère jumeau de celui qui a tiré sur vous était l'un des deux autres. »

Le blessé s'agite de plus en plus.

« Non, non. Le deuxième était un Noir et le troisième avait une forte moustache et l'accent mexicain. Je ne les avais jamais vus. Il n'y avait qu'un des jumeaux, j'en suis sûr. »

Il marque un temps et dit encore avant de retomber sur son oreiller :

« Mais je ne sais pas lequel... »

A ce moment, une infirmière entre dans la chambre et d'un ton ferme met fin à l'interrogaroire.

Une fois dehors, le lieutenant Pickford mesure enfin toute l'originalité du cas qui vient de se présenter à lui... Mais il ne s'inquiète pas outre mesure. Il n'a qu'à faire son métier de policier, et il finira bien par trouver lequel est coupable.

Le lieutenant se rend sans attendre chez les Taylor. Ils habitent avec leur mère dans un pavillon misérable de la banlieue de Pontiac. Au coup de sonnette, un jeune homme vient lui ouvrir. Il est vêtu d'un blue-jean et d'une chemise crasseuse. Une longue mèche de cheveux bruns tombante lui cache la moitié du front.

Le lieutenant attaque sans préambule.

« Tu es Bob ou Gilbert ? »

Le grand adolescent, qui doit avoir environ dix-huit ans, marque un temps et répond d'une voix traînante :

« Gilbert, pourquoi ?

– Lieutenant Pickford de la police criminelle. Où étais-tu la nuit du 16 juillet ? »

Gilbert Taylor répond sans s'émouvoir :

« Je suis allé au cinéma. Je suis rentré à minuit... »

Le lieutenant note mentalement : « Pas d'alibi », et il refrène alors un mouvement de surprise... Le garçon qui vient d'entrer dans la pièce est la réplique exacte de Gilbert. Lui aussi porte un blue-jean, une chemise sale. La même mèche brune barre son front. L'instant d'étonnement passé, le lieutenant interroge le nouvel arrivant :

« C'est bien toi Bob Taylor ? Où étais-tu dans la nuit du 16 ? »

Le lieutenant Pickford a un second choc ! La voix traînante qui lui répond a exactement le même timbre que celle qu'il vient d'entendre.

« Attendez voir. Je suis allé faire un tour...

– Tout seul ?

– Oui. Pourquoi ? C'est interdit ?

– Et tu es rentré à quelle heure ?

– Je ne sais pas... Vers minuit. »

Le lieutenant s'éponge le front. Aucun d'entre eux n'a d'alibi. Il sent qu'il ne pourra rien tirer des jumeaux. Mais il n'a pas dit son dernier mot. Il convoque leur mère à son bureau pour le lendemain.

Elle arrive, l'air intimidé. C'est une femme de condition très modeste. Ses papiers disent qu'elle a quarante ans mais les rides de son visage et de ses mains la font paraître plus âgée.

A peine assise, elle sanglote.

« Cela devait arriver un jour... Je savais que cela se terminerait par un malheur. »

Le lieutenant lui coupe la parole.

« Il est trop tard pour avoir des regrets. Répondez seulement à mes questions. A quelle heure sont rentrés vos fils la nuit du meurtre ? »

La pauvre femme s'essuie les yeux et réfléchit :

« J'étais dans ma chambre. Le premier est rentré vers minuit. Le second bien plus tard. Je peux vous le dire parce que je ne dormais pas. Il était presque trois heures du matin. »

Le lieutenant s'énerve.

« Mais duquel s'agissait-il ? Bob ou Gilbert ? Qui est rentré à minuit et qui est rentré à trois heures ? »

Mme Taylor balbutie, terrorisée :

« Je ne sais pas, monsieur le lieutenant. Je n'ai pas ouvert ma porte et comme ils couchent dans la même chambre ! »

Le commissaire plie et déplie les doigts. Il fait un intense effort sur lui-même.

« Admettons que vous n'ayez rien vu, que vous ne sachiez rien. Mais vous pouvez nous aider, vous le devez... »

La mère des jumeaux renifle en silence.

« Ecoutez-moi bien, madame. Vous connaissez Bob et Gilbert mieux que personne. D'après vous, lequel était capable de commettre ce crime ? »

Mme Taylor a un regard perdu.

« Les deux, lieutenant. Vous ne pouvez pas savoir ce qu'ils m'en ont fait voir, depuis le départ de mon mari. Ce sont des vauriens. Ils sont menteurs, voleurs, ils courent les filles et ils se droguent. J'ai fait ce que j'ai pu, lieutenant. Mais ce n'est pas facile quand on est toute seule... ».

Totalement découragé, le lieutenant Pickford laisse partir Mme Taylor. Le témoignage de la mère confirme l'invraisemblable situation : l'un de ses fils est coupable et l'autre innocent; l'un est rentré à minuit, avant l'agression, et l'autre après. Mais lequel? Rien ne permet de le dire. Tout est semblable en eux, et pas seulement leur physique : moralement ils ne valent pas plus cher l'un que l'autre. Tous les deux étaient capables de commettre le crime. Mais lequel des deux l'a réellement fait?

Après s'être posé en vain la question, le lieutenant Pickford décide d'arrêter Bob et Gilbert Taylor, le temps de terminer son enquête.

Mais celle-ci n'aboutit à aucun résultat. Les deux autres agresseurs, le Noir et le Mexicain, restent introuvables. Et trois mois plus tard, les jumeaux Taylor passent en jugement sous l'inculpation de meurtre, de tentative de meurtre et de viol.

Quand leur procès s'ouvre, en avril 1972, la petite salle du tribunal de Pontiac est comble. Les journalistes sont venus de tout l'Etat du Michigan et même du pays entier pour assister à ce cas hors série.

Quand les deux accusés pénètrent dans le box, il y a un long murmure dans le public. Ils sont exactement semblables, la copie exacte l'un de l'autre. Par défi, sans doute, ils se sont habillés de la même manière : un costume gris à rayures et une chemise rose.

Après un moment de flottement, le président posa la question traditionnelle :

« Bob Taylor, plaidez-vous coupable ou non coupable? »

La réponse lui parvient, d'une voix traînante :

« Non coupable, Votre Honneur. »

Puis c'est la seconde question :

« Gilbert Taylor, plaidez-vous coupable ou non coupable ? »

Et la seconde réponse :

« Non coupable, Votre Honneur. »

Dans l'assistance, il y a un brouhaha que le président doit faire taire. C'est hallucinant. La voix est exactement semblable à la première, une voix des faubourgs un peu traînante. D'ailleurs, chacun des jumeaux a-t-il bien répondu à la question qui le concernait? N'ont-ils pas, par jeu, interverti leurs réponses? Si c'était le cas, personne ne s'en serait rendu compte.

Le procès de Bob et Gilbert Taylor se poursuit comme un procès ordinaire. Les témoins cités par l'accusation se succèdent. Ils viennent tous attester de la moralité plus que douteuse des jumeaux. La défense, elle, n'a cité aucun témoin. Elle n'en a pas besoin.

En fait, tout le monde attend le témoignage capital, celui de Tommy Barton. Quand il arrive, appuyé sur sa canne, il y a un long silence dans la salle.

Le président s'adresse à lui avec gravité.

« Monsieur Barton, il n'y a que vous qui puissiez éclairer la justice. Regardez encore une fois les accusés. Il y a peut-être un détail qui va vous revenir. Monsieur Barton, je vous en conjure, essayez de nous dire lequel est votre agresseur. »

Dans un silence total, Tommy Barton s'approche du box. Il promène alternativement son regard de Bob à Gilbert – ou de Gilbert à Bob, qui pourrait le dire?

Au bout de quelques minutes qui semblent

interminables, il revient à la barre des témoins. Il secoue la tête.

« Non, monsieur le président, honnêtement, je ne peux rien dire... »

Dans ces conditions, la cause était entendue. Entre condamner un innocent et laisser libre un coupable, le droit et même la simple justice ne pouvaient pas hésiter.

A l'annonce du verdict, celui d'entre eux qui avait tiré sur Tommy Barton n'a pas eu la moindre réaction. Ils sont restés tous les deux parfaitement indifférents, du moins en apparence.

Protégés par la police, Bob et Gilbert Taylor sont partis du même pas. Cette fois, plus rien ne les distinguait l'un de l'autre. Le juge venait de le leur dire : « Faute de preuve, vous êtes libres. »

UN ASSASSIN DANS LA VILLE

Le commissaire Palmer de la police canadienne prend tranquillement son café matinal dans son bureau. C'est une habitude à laquelle il est très attaché. Tous les matins, il s'accorde ainsi un petit quart d'heure avant de commencer son travail, en fumant sans trop se presser sa première cigarette. Il faut dire que Richmond, au Québec, est plutôt du genre paisible : quelques immeubles de bureaux dans le centre, des magasins et entrepôts autour de la gare, le reste de la cité étant composé uniquement de pavillons et de jardinets alignés le long d'avenues qui se coupent à angle droit. Tout autour, sans transition, c'est la campagne, avec ses grosses fermes perdues au milieu des immenses champs de pommes de terre, la monoculture de la région.

Oui, Richmond est la ville rêvée pour un policier, à condition qu'il ne soit pas trop ambitieux, et c'est le cas du commissaire Palmer; autrefois, peut-être, mais à cinquante-cinq ans... Sa tâche principale consiste à s'occuper de la circulation et à rechercher les animaux perdus. De temps en temps, il y a bien quelques querelles entre voisins et, parfois, un ivrogne ou deux, mais c'est tout.

Le commissaire Palmer s'attarde à contempler les marronniers déjà roux sous ses fenêtres. Il fait particulièrement beau ce 9 octobre 1959, une splendide et douce journée d'automne... C'est à ce moment que le téléphone sonne.

« Commissaire Palmer? Ici, Ottawa. La police américaine nous informe que le dénommé Gordon Miller a franchi cette nuit la frontière canadienne. Voici son signalement : vingt-deux ans, 1,80 m, cheveux blonds en brosse, taches de rousseur. Je vous envoie sa photo par hélicoptère.

– Par hélicoptère!...

– Ne m'interrompez pas, commissaire. L'homme est très dangereux. Il a trois meurtres à son actif aux Etats-Unis : un marchand d'articles de pêche, une jeune serveuse et un pompiste. Il commence par voler ses victimes, ensuite, il les fait allonger face contre terre et leur tire une balle dans la nuque. Il est armé d'une carabine à répétition à canon scié. »

Le commissaire Palmer parvient enfin à se ressaisir :

« Mais enfin, pourquoi viendrait-il à Richmond? Qu'est-ce qu'il pourrait faire chez nous?

– C'est là qu'habite son ex-femme, Barbara Lynch. Elle est retournée chez ses parents après son divorce. Il faut essayer de l'arrêter quand il viendra chez elle. Bonne chance, commissaire. La police fédérale vous envoie des renforts. »

Le commissaire Palmer a déjà raccroché. En un instant, il a retrouvé tous ses réflexes de jeune homme... D'abord, l'annuaire pour prévenir Barbara Lynch, lui demander de retenir l'homme le plus possible. Le numéro sonne et la jeune femme décroche...

« Miss Lynch, ici la police... »

Mais la voix qui répond est en larmes.

« C'est affreux ! Il est venu. Il m'a demandé de partir avec lui. J'ai refusé. Il m'a menacée avec son arme. J'ai cru qu'il allait me tuer. C'est mon ancien mari, c'est...

– Je sais. Vous a-t-il dit où il allait ?

– Non. Il est parti comme un fou... »

Le commissaire Palmer regarde encore une fois par la fenêtre. Derrière les marronniers, sur la pelouse du pavillon d'en face, il y a des enfants qui jouent. Il faut à tout prix éviter le drame. Pour la première fois de sa vie, le commissaire Palmer a peur, très peur...

Il est maintenant six heures de l'après-midi. Georges Levin rentre chez lui au volant de sa voiture. Entre son entreprise d'appareils sanitaires, au centre de Richmond, et le pavillon qu'il habite, il y a environ dix minutes. Avant de partir, il a une nouvelle fois téléphoné chez lui. Kate lui a dit que tout allait bien, qu'elle s'était barricadée avec les deux petites. Georges Levin appuie sur l'accélérateur autant qu'il peut. Au-dessus de sa tête, le bourdonnement de l'hélicoptère l'énerve. Pourtant, c'est plutôt rassurant. Dans la voiture, le poste de radio diffuse les mêmes nouvelles que depuis le début de la matinée :

« Nous répétons le signalement de Gordon Miller : 1,80 m, yeux bleus, cheveux blonds coupés en brosse, taches de rousseur sur les deux joues, il a vingt-deux ans mais paraît plus jeune. Il tue ses victimes après les avoir fait allonger par terre. N'ouvrez à personne. Prévenez la police au moindre fait suspect... »

Enfin, la barrière blanche de la maison, Georges Levin se précipite, sonne selon le code convenu. Et il pousse un soupir de soulagement. Elles sont là toutes les trois : Kate, sa femme et ses deux filles, Judith, douze ans, Sandra, huit ans. Les deux petites courent se blottir contre leur père. Elles ont peur. Mais Georges ne cherche pas à les rassurer. Il faut qu'elles continuent à avoir peur. C'est indispensable pour qu'elles ne commettent pas d'imprudence.

Georges est en train de montrer à sa femme le maniement du revolver qu'il vient d'acheter pour elle au supermarché, quand la radio interrompt de nouveau son programme musical :

« Demain matin, des cars de police viendront ramasser tous les écoliers de la ville. N'envoyez pas vos enfants seuls à l'école. Attendez que le car s'arrête devant votre porte... »

Georges Levin se sent un peu soulagé. Demain, Kate aura une arme et les filles seront protégées par la police. Aussi, il s'endort sans trop de mal, avec le revolver sur la table de nuit. Et le lendemain, en partant pour son travail, à sept heures, il n'est pas exagérément inquiet.

Tout au long du chemin, il croise des policiers. D'autres renforts sont certainement arrivés d'Ottawa pendant la nuit. La radio n'annonce rien de nouveau. Les recherches continuent.

L'entreprise de matériel sanitaire « Levin Ltd » se situe derrière la gare, dans un quartier désert. A peine sorti de sa voiture Georges a un choc : la vitrine d'exposition du magasin a été brisée. Il s'approche pour constater les dégâts et presque immédiatement, il se rend compte qu'il n'aurait pas dû, qu'il fallait fuir tout de suite, au premier coup d'œil. Mais il est trop tard. Une forme s'est levée derrière une baignoire, une forme avec un fusil.

« Par ici, mon gars. Et pas de blagues, hein ! »

Sur le coup, Georges n'a qu'une seule réaction : s'il est là, au moins Kate et les enfants sont en sécurité. Ce n'est pas qu'il soit spécialement un héros, du moins il ne le pense pas, c'est tout simplement l'unique pensée qui lui vient à l'esprit en cet instant.

D'un pas mécanique, Georges Levin s'approche de Gordon Miller. C'est vrai qu'il fait jeune. On dirait un gamin qui joue aux cowboys avec la carabine qu'on vient de lui acheter. Mais ce n'est pas un jouet. Miller lui enfonce le canon dans les côtes.

« C'est au-dessus ton bureau ? »

Georges ne peut que secouer la tête affirmativement.

« Passe devant. Je te suis. »

A peine entré dans la pièce, Miller se remet à questionner :

« Combien de personnes vont venir ? »

Georges Levin s'efforce de parler calmement.

« Cinq. La secrétaire, les deux camionneurs, l'ouvrier et le comptable.

— Eh bien, on va les attendre... »

Miller a un regard vers le fond de la pièce.

« Dis donc, c'est toi le patron ? »

Levin fait « oui » de la tête.

« Alors, ouvre le coffre ! »

Georges Levin sent tout d'un coup un immense vide. C'est la fin. Car aussi incroyable que cela paraisse, il ne sait pas ouvrir son propre coffre. Il connaît la combinaison mais c'est un vieux modèle qui marche mal. Il n'y a qu'Ernie Collins, son comptable, qui ait le coup de main pour le faire fonctionner.

« Ecoutez... Je vous demande de me croire. C'est la vérité. Je ne sais pas ouvrir le coffre. Il n'y a que le comptable qui puisse. Je vous jure que c'est vrai. »

Pour toute réponse, Gordon Miller le met en joue.

« Non, ne tirez pas! Ernie va venir. Il sera là dans quelques instants. Il va ouvrir le coffre, je vous jure qu'il va l'ouvrir. Et il y a beaucoup d'argent. »

Miller le regarde longuement. Il n'y a aucune expression sur son visage poupin. Enfin, il laisse tomber :

« D'accord. »

Georges se retient de pousser un soupir. Il est sauvé, du moins pour le moment. C'est à cet instant qu'il voit par la fenêtre Louis et Andrew, les deux camionneurs. Ils sont en train d'examiner les dégâts de la vitrine, puis lèvent la tête. Ils l'aperçoivent. L'espace d'un éclair, Georges essaie de faire passer dans son regard toute l'horreur de la situation, tandis que sa bouche esquisse un « non » muet. Mais ils ne comprennent pas. Ils lui font un signe de la main en lui lançant une phrase qu'il n'entend pas. L'instant d'après, ils sont dans le bureau.

« Dites voir, patron, on n'aurait pas reçu de la visite cette nuit? »

La voix, derrière leur dos, est impersonnelle, froide.

« C'est exact. Ne bougez pas. Restez où vous êtes. »

Puis c'est le tour de l'ouvrier réparateur, de Nancy, la dactylo, et enfin d'Ernie Collins, le comptable. Avant qu'il ait pu comprendre quoi que ce soit, le jeune homme se jette sur lui.

« Allez, Ernie, ouvre le coffre, vite ! »

Mais le malheureux comptable, qui vient d'être plongé brusquement dans cette situation inimaginable, perd tous ses moyens. Il se met en devoir d'exécuter l'ordre. Pourtant, il a beau s'escrimer, tourner les cadrans dans tous les sens, il n'arrive pas à ouvrir le coffre. Ses mains, dégoulinantes de sueur, glissent sur le métal; il ne voit plus rien, il ne sait même plus ce qu'il fait.

Cette fois, Gordon Miller s'énerve :

« Si dans une minute t'as pas ouvert le coffre, je te descends. »

Georges Levin sent qu'il faut faire quelque chose pour éviter la catastrophe. Il s'approche de son comptable et lui parle aussi calmement qu'il peut.

« Ne te presse pas, Ernie. Prends ton temps. C'est long, tu sais, une minute. »

Le comptable regarde son patron et fait « oui » de la tête. Il sort son mouchoir, s'essuie les mains aussi soigneusement que possible et, avec toute la concentration dont il est capable, il se remet au travail.

Au bout d'une trentaine de secondes, il y a un déclic presque imperceptible, mais que tous ont entendu, puis un second, puis un troisième et enfin le coffre s'ouvre.

Miller donne des ordres précis.

« Toi, le patron, mets l'argent dans un sac et lance-le à mes pieds... Bien, maintenant, va chercher cette paire de ciseaux sur le bureau. »

Georges reste un moment avec sa paire de ciseaux dans les mains. Pour la première fois, Gordon Miller a un petit sourire.

« Maintenant, monsieur, coupez les fils du téléphone, s'il vous plaît. »

Visiblement, il est content de lui. Appeler Levin « monsieur » et lui dire « s'il vous plaît » pour lui donner un ordre, il a l'air de trouver cela très amusant. Il promène son regard de l'un à l'autre en attendant une réaction. Nancy, la secrétaire, essaie de lui adresser un petit sourire crispé, mais elle fond brusquement en larmes.

Georges Levin se racle la gorge.

« Maintenant que vous avez l'argent, vous n'avez plus besoin de nous... »

Le jeune homme ne répond pas. Il annonce simplement d'un ton uniforme :

« Allongez-vous face contre terre. »

Mais, après un instant, il se ravise.

« Tout compte fait, je préfère vous attacher. Toi, le patron, y' a bien de la corde dans cette baraque ? »

Georges Levin se redresse sur les coudes.

« Oui, dans l'entrepôt au rez-de-chaussée.

– Alors va la chercher. Mais fais pas le malin. Sinon, dans deux minutes, il y aura un beau tas de cadavres. »

Comme un somnambule, Georges quitte la pièce, descend l'escalier, repasse par le magasin, entre dans l'entrepôt. Et c'est au moment seulement où il saisit la corde qu'il se rend compte. Il n'est plus sous la menace de Miller, il est hors de sa portée. La porte est là. De là-haut, l'autre ne peut pas l'atteindre. Il n'y a qu'à la pousser et à s'enfuir, ou plutôt à chercher du secours.

Miller a dit « deux minutes ». En deux minutes, il a le temps de trouver un agent et de revenir avec lui...

Seul, sa corde à la main, Georges Levin secoue la tête. Il sait bien qu'il n'aura jamais le temps, que Miller les aura tous tués avant. Il ne pensait qu'à sauver sa vie, c'est tout... Georges ne réfléchit pas davantage. Il s'entend prononcer à haute voix :

« Non, je ne peux pas... »

En remontant, alors que chaque marche qu'il franchit lui coûte un effort de volonté, il essaie de se donner des raisons d'espérer. Tout n'est peut-être pas perdu. Miller n'a jamais attaché ses victimes; s'il le fait cette fois c'est sans doute qu'il a l'intention de les épargner. Et puis, cela va prendre du temps. Avec tous les policiers qui sont dans la ville, il y en a bien un qui va remarquer la vitrine brisée. Georges a un frisson lorsqu'il se retrouve en face de l'assassin au visage de gamin.

– Tu en as mis du temps. Allez, grouille-toi, tu vas les attacher. Vous autres, restez allongés comme vous êtes. »

La première est la secrétaire, Nancy. En accomplissant sa besogne Georges Levin se répète sans arrêt à lui-même : « Il y a encore un espoir... »

Miller lance un ordre bref :

« Recule-toi. »

Il s'approche de la secrétaire.

« C'est ça que tu appelles un nœud? Refais-le en vitesse et si tu recommences, je descends la fille! »

La mort dans l'âme, Georges doit s'exécuter. Et il passe au second corps allongé. Dans sa tête, il y a toujours la même pensée, la seule qui lui permette de tenir le coup : « S'il veut nous attacher, c'est parce qu'il n'a pas l'intention de nous tuer. »

Georges continue à s'affairer, agenouillé sur le

plancher, coupant les bouts de corde et faisant les nœuds maladroitement. Personne ne dit un mot; le silence est total. En dessous de lui, il sent depuis quelque temps une sorte de vibration. Il met un moment avant de comprendre que ce sont les battements de cœur de ses cinq compagnons allongés.

La voix de Gordon Miller retentit, sarcastique, cette fois.

« N'aie pas peur de serrer, mon gars. De toute façon, ils n'auront pas mal aux poignets longtemps. »

Georges Levin a senti une brusque contraction dans son estomac et il a vu les autres se raidir. Cette fois, c'est la fin. Miller a jeté le masque, il vient de dévoiler ses intentions, il va les tuer tous, un par un, comme des lapins. Georges pense à Kate, à Judith, à Sandra. Il ferme un instant les yeux...

Il faut faire quelque chose. N'importe quoi, mais quelque chose, sinon, de toute manière, ils sont tous perdus. Miller est assis sur une chaise, la carabine sur les genoux. Georges a remarqué que lorsqu'il s'accroupit pour ligoter ses compagnons, le canon est pointé très légèrement au-dessus de sa tête.

Jusqu'à présent, il en a attaché trois. Or le quatrième, Andrew, un des camionneurs, est juste en face de Miller, à deux mètres environ... Oui, c'est cela : il va se baisser au-dessus d'Andrew, se détendre d'un seul bond en plongeant sous la carabine et là, il faudra agripper le canon et le relever vers le plafond...

Georges Levin se penche sur Andrew. Il prend un morceau de corde comme s'il allait l'attacher. Son cœur bat avec une telle violence qu'il se force à attendre quelques secondes. « Du calme, Georges, du calme... Ne pas regarder Miller, cela lui donnerait l'éveil. S'il a changé sa carabine de position tant pis. Avoir l'air affairé pour qu'il ne se doute de rien. Voilà... Maintenant ! »

Georges a bondi. Miller a tiré, mais la balle est passée au-dessus. Maintenant il est sur lui. De sa main gauche, il maintient la carabine relevée, tandis que de son poing droit, il le frappe de toutes ses forces à la mâchoire. Andrew et Ernie, qui n'étaient pas encore attachés, se précipitent. C'est fini...

Cinq minutes plus tard, le commissaire Palmer est là, avec une nuée de policiers.

Tandis qu'on emmène Gordon Miller qui n'est pas encore revenu de sa surprise, Georges Levin déclare simplement au commissaire :

« Je rentre chez moi. Je vais dire à ma femme qu'elle n'a plus besoin de son revolver. »

« EL CARNERO »

26 JANVIER 1946 : dans une cabane de bûcherons, sur les premières pentes de la montagne pyrénéenne, au cœur de l'Ariège, deux paysans font une découverte : un cadavre est recroquevillé sur le plancher.

Surmontant leur peur et leur répugnance, ils retournent le corps allongé sur le ventre. C'est un crime, et quel crime ! L'homme a eu le crâne et la face broyés, sans doute à coups de pierre. De plus, son assassin lui a tranché la gorge comme on le ferait à du bétail.

La victime, vu son visage défiguré, n'est pas reconnaissable. Mais il s'agit sans doute de Luis Hermano, l'habitant des lieux, qui avait trouvé refuge depuis plusieurs années dans cette baraque abandonnée.

Luis Hermano était un républicain espagnol, comme il y en a plusieurs sur la commune. Il était bûcheron comme les autres et comme les autres, sans doute un peu braconnier...

Quelques heures plus tard, les gendarmes sont sur place. Ils ont beaucoup de travail, en ce moment, de même que la justice. Il faut pourchasser les anciens nazis qui tentent de franchir la frontière espagnole. Les procès d'épuration se multiplient dans toute la région. C'est le temps des enquêtes rapides et de la justice expéditive.

Une fois sur place, les gendarmes cherchent des indices et un suspect. Des indices, ils en trouvent un seul : des traces de souliers ferrés laissées par un homme qui marchait à grandes enjambées. Quant au suspect, vu la sauvagerie du crime, c'est, de toute évidence, un être vigoureux et violent, peut-être un des compatriotes de Luis Hermano, bûcheron comme lui.

Le commissaire qui mène l'enquête se fait rapidement son idée sur le meurtre. D'ailleurs, débordé comme il l'est en ce moment, il n'a guère le temps de s'appesantir sur ce banal crime de droit commun.

Après quelques interrogatoires dans le village, il tient son suspect. La victime était connue pour ses nombreuses aventures féminines. C'est donc vraisemblablement la vengeance d'un jaloux. Or, Luis Hermano partageait, au moment du meurtre, la même maîtresse avec un autre réfugié espagnol : Diego Marti.

Quelques heures plus tard, la police débarque chez Marti. Il habite lui aussi une baraque abandonnée, tout aussi misérable que celle de la victime. Diego Marti, comme la plupart des Espagnols, est très brun. Il est plutôt petit mais on voit tout de suite qu'il est solidement bâti. Ses bras et ses jambes maigres sont fortement musclés.

A la vue des policiers, il se trouble. On le voit trembler légèrement, tandis qu'il bégaie des choses incompréhensibles. Le commissaire attaque brutalement l'interrogatoire. Il est content de lui, son flair ne l'avait pas trompé.

« Alors, tu avoues ? C'est toi qui as fait le coup pour Hermano ? »

Diego Marti se trouble de plus en plus et débite un flot de paroles avec son accent rocailleux de Valence. Le commissaire ne prête aucune attention à ses discours, d'autant qu'un de ses hommes, qui est en train de perquisitionner, lui rapporte deux objets d'un air triomphant : c'est une paire de chaussures exactement semblables à celles qui ont laissé leurs empreintes sur les lieux du crime.

Le commissaire les met sous le nez du suspect :

« Cela ne te dit rien par hasard ? Tu ne vas pas prétendre que ce ne sont pas tes chaussures... »

L'homme s'agite et repart dans un discours incompréhensible. Mais, visiblement, il a peur. Tout dans son comportement l'indique.

Une seconde fois, le commissaire l'interrompt :

« Et cette tache brune, là sur ta chemise, qu'est-ce que c'est, si ce n'est pas du sang ? Allez, prends tes affaires et suis-nous... »

Diego Marti baisse la tête, va chercher son seul costume, qu'il plie dans un balluchon, et se coiffe de son béret. D'une voix sourde où l'on sent le repentir, il explique quelque chose au commissaire, sans doute les raisons de son acte. Dans son discours, un mot revient souvent : « Carnero... carnero. » Le commissaire hausse les épaules. Il ne comprend pas un mot d'espagnol. Tout ce qui lui importe, c'est que l'autre signe ses aveux tout à l'heure. Le reste concernera son avocat. Mais il ne l'envie pas. Il ne donne pas beaucoup de chance à Marti d'échapper à la guillotine...

Il est pourtant dommage que le commissaire ne comprenne pas l'espagnol. Car s'il savait ce que

Diego Marti est en train de dire, il reviendrait peut-être de sa belle certitude.

Marti, qui parle avec tant de crainte et de repentir dans la voix, est en train de lui faire ses aveux. Il lui confesse son crime, oui, son crime. « Carnero » signifie « mouton » en espagnol. Il y a trois jours, il a égorgé un mouton et il l'a vendu au marché noir. Le sang sur sa chemise, c'était cela...

Diego s'attendait bien à ce que les policiers le découvrent. Il demande au commissaire combien cela va lui coûter, car tuer un mouton, en 1946, en cette période de rationnement, c'est un délit grave et sévèrement puni...

Le soir, tout est terminé. Diego Marti a signé ses aveux, par lesquels il reconnaît avoir tué Luis Hermano. Ou plutôt, il a imprimé sur la feuille l'empreinte de son pouce droit car il ne sait ni lire ni écrire...

Le commissaire est satisfait. Voilà une enquête rondement menée. Il va pouvoir revenir à toutes les affaires qui l'attendent et qui sont autrement plus graves qu'un crime passionnel entre bûcherons.

Quelques jours plus tard, Diego Marti voit arriver son avocat dans sa cellule, un avocat qui parle espagnol. Il lui pose la main sur le bras d'un air inquiet.

« Alors, pour le mouton, qu'est-ce qui va m'arriver ? »

L'avocat ouvre de grands yeux :

« Quel mouton ? Je suis là pour le meurtre de Luis Hermano... »

Le prisonnier ne comprend rien. Il lui explique

tout d'une voix précipitée. C'est un mouton qu'il a tué, pas Luis Hermano. Le sang sur sa chemise, c'était celui du mouton.

Mais l'avocat secoue la tête en faisant la grimace.

« Ecoutez, Marti. A mon sens, vous avez tort de revenir sur vos aveux. Faites-moi confiance. Le meilleur système de défense est de reconnaître les faits. Moyennant quoi, je pourrai vous obtenir vingt ans... »

L'Espagnol articule hébété :

« Vingt ans! Et autrement, qu'est-ce que je risque?

— Vous risquez la mort, bien sûr. Mais je vous dis que je peux l'éviter. A condition que vous me promettiez de ne plus jamais parler de cette histoire de mouton... »

Au procès, tout se déroule très vite. Les témoignages sont formels et les juges et les jurés vite édifiés. Le commissaire vient résumer dans sa déposition toutes les charges qui pèsent sur l'accusé : il y a d'abord ses chaussures qui s'adaptent parfaitement aux traces relevées sur les lieux du crime. Il y a ensuite cette tache de sang sur sa chemise et enfin il a signé ses aveux.

Les habitants du village cités comme témoins exposent ce qui est, de toute évidence, le mobile du meurtre. Depuis plusieurs mois, les deux hommes avaient la même maîtresse et ils avaient déjà eu plusieurs querelles à ce sujet.

Quant à la personnalité de l'accusé, elle n'apparaît guère reluisante. Le témoignage de José Velasquez, surtout, est accablant. Ils se connaissent depuis longtemps; ils ont fait la guerre d'Espagne ensemble et ils se sont tous deux réfugiés dans le même village.

José Velasquez est sans pitié!

« Marti est une brute. Quand il est en colère ou quand il a bu, je le crois capable de tout. Moi-même, au cours d'une dispute, il a failli me tuer... »

De son banc, Diego Marti observe le témoin. Il ne comprend pas ce qu'il dit. Velasquez est plus cultivé que lui. Il parle français et pas lui. Mais il se doute que ce ne doit pas être amical. Depuis que plusieurs histoires de femmes les ont opposés, ils se détestent, ils se haïssent. Velasquez haïssait d'ailleurs tout autant, pour les mêmes raisons, Luis Hermano. Mais ce n'est certainement pas de cela qu'il est en train de parler devant les juges.

Dans son réquisitoire, le procureur demande la mort. L'avocat fait ensuite une émouvante plaidoirie autour du crime passionnel et met en avant les aveux spontanés de l'accusé.

Après quinze minutes de délibération, le jury rend son verdict : réclusion criminelle à perpétuité. Les rares personnes qui sont présentes ce jour-là dans la cour d'assises de Foix commentent sans passion le résultat :

« L'Espagnol. Il a sauvé sa tête. Il a eu de la chance... »

1954. Cela fait huit ans que Diego Marti est incarcéré à la prison centrale de Foix. Il est vêtu de l'uniforme des condamnés à perpétuité et, pour lui, les conditions de détention sont plus dures encore que pour les autres.

Bien sûr, il travaille comme tout le monde : dix heures par jour il fabrique des chaussons ou rempaille des chaises. Mais, dans cette prison, il est peut-être le plus prisonnier de tous. Car un obstacle, une barrière invisible mais infranchissable, le sépare de ses compagnons : la langue. Il n'a jamais su parler le français et il ne saura jamais, c'est trop difficile pour lui. Il ne peut s'intégrer à aucune activité. Il ne comprend pas ce que lui disent ses codétenus, ce que lui disent ses gardiens. Il est seul, replié sur lui-même.

Parfois, il demande à un camarade d'écrire une lettre pour lui. Le destinataire est toujours le même : *la Justice*, avec un grand « J ». Diego Marti ne connaît rien aux mécanismes, aux rouages de l'appareil judiciaire. Alors il écrit à la *Justice* parce que ce qu'il réclame dans ses lettres, c'est précisément la justice.

Dès qu'il peut trouver un détenu qui a quelques notions d'espagnol et qui sait écrire, il s'accroche à lui et lui dicte son message. Le résultat n'est jamais brillant. L'autre ne comprend pas très bien ce qu'il veut et il ne sait, le plus souvent, pas écrire correctement lui-même.

En huit ans, Diego Marti a envoyé ainsi une trentaine de lettres. Elles ont échoué sur le bureau du procureur qui leur a jeté un regard distrait, rebuté dès les premières lignes par ce charabia incompréhensible. Il les a classées dans le dossier « sans suite » ou « sans objet »...

Lorsque le procureur Bertier prend la succession de son collègue parti à la retraite en 1954, il découvre, dans ses archives, la série de lettres signées Marti Diego n° 228, maison d'arrêt de Foix.

Le procureur Bertier est un homme scrupuleux. Il trouve étrange que ce détenu continue à proclamer, depuis tant d'années, son innocence. Bien sûr, ses propos sont loin d'être clairs. Il ne comprend rien en particulier à cette histoire de mouton qui revient sans cesse. Mais il veut en avoir le cœur net. Il se fait communiquer le dossier de l'instruction, prend connaissance de toute l'affaire, et décide d'aller trouver lui-même Diego Marti dans sa cellule.

Dès qu'il le voit, il a un choc. Il vient de lire dans le dossier qu'un des témoins du procès, un certain Velasquez, l'avait dépeint comme une brute sanguinaire. Or, l'homme qui se tient en face de lui est plutôt petit, l'air timide, effaré. Il balbutie en français des mots qu'il a dû apprendre pour la circonstance :

« Merci, monsieur le procureur... Je suis innocent. »

Le procureur l'examine longuement. Non, ce n'est pas une brute. C'est un pauvre bougre qui se tient devant lui, l'air interrogatif, son béret basque à la main. Dès cet instant, sa conviction est faite : cet homme est une victime.

Mais la conviction est une chose, les preuves en sont une autre. Par l'intermédiaire de l'interprète qui l'accompagne, le procureur Bertier se fait raconter toute l'histoire. Pour la première fois Diego Marti exprime enfin sa vérité, telle qu'il n'a jamais pu la dire. Le mouton qu'il a tué, la confusion dans son esprit quand les gendarmes sont venus l'arrêter, et puis tout ce procès où des gens sont venus parler, sans qu'il puisse comprendre. Sa condamnation, enfin.

En rentrant dans son bureau, le procureur Bertier prend une décision exceptionnelle. Il va refaire lui-même toute l'enquête.

Il se rend donc dans le petit village de l'Ariège, accompagné du nouveau commissaire. Il visite la misérable baraque où l'on a retrouvé le corps de la victime. Il a apporté les chaussures de Marti et interrogé les gens du village.

« A votre avis, ces chaussures, seul Marti en portait dans la région ? »

A chaque fois, la réponse est la même :

« Non, bien sûr, tous les bûcherons en avaient à l'époque. Il y en a d'ailleurs beaucoup qui en portent encore. »

Et le procureur Bertier continue à éplucher le dossier. Plus il approfondit, plus il découvre l'incroyable légèreté de l'instruction. D'abord les empreintes ne correspondaient pas exactement à la pointure de Marti : son pied était plus court de quelques millimètres. Ensuite, la tache de sang sur sa chemise n'a jamais été analysée. On n'a même pas cherché à savoir s'il s'agissait de sang humain. Et enfin, et surtout, il y a ce témoignage accablant de José Velasquez qui a pesé d'un tel poids au procès.

Velasquez est rentré tout de suite après en Espagne. Mais les témoignages qu'a pu réunir le procureur sont troublants. Il avait lui aussi eu plusieurs querelles pour des histoires de femmes avec la victime. Dans le fond, il faisait un suspect tout aussi crédible que Marti. Seulement, c'est Marti que la police est venue interroger en premier, et qui s'est troublé à cause de cette histoire de mouton.

Le procureur s'enquiert de ce qu'est devenu José Velasquez en Espagne. Et la réponse qu'il reçoit confirme ses soupçons : il s'est pendu un mois après le verdict.

Le procureur Bertier en sait suffisamment. Ce qu'il a appris au cours de son enquête confirme sa conviction première. C'est pourquoi il demande au garde des Sceaux de prendre une mesure de libération immédiate en faveur de Diego Marti.

Et le 16 mars 1954, après huit ans et cinq mois d'incarcération Marti est libéré. Il quitte sa prison discrètement, avec son balluchon sous le bras, contenant son unique costume.

Marti rentre immédiatement en Espagne. Il retrouve son petit village près de Valence, sa femme Consuela qui est maintenant dans la misère; car pour vivre sans son mari, elle avait dû vendre le petit lopin qu'ils possédaient.

Mais pendant ce temps, en France, la justice suit son cours. Un an après la libération de Diego Marti, la Cour de cassation annule son procès et décide qu'il devra être rejugé, en vue de sa réhabilitation.

Et pourtant, il va falloir six ans pour que l'ancien détenu de la prison de Foix accepte de retourner en France. Les autorités espagnoles ont beau lui expliquer qu'il ne s'agit que d'une formalité, le consul de France a beau se déplacer plusieurs fois dans son village pour lui dire qu'il ne risque rien, qu'au contraire, il va toucher une indemnité importante, Diego Marti secoue la tête. Non, il ne veut pas retourner dans ce pays où il a tant souffert, dont il ne connaît pas la langue. Il ne veut pas d'un procès où tout le monde va employer des mots qu'il ne comprend pas.

Mais au début de 1961, sa femme Consuela tombe gravement malade. Et ce n'est pas avec son salaire d'ouvrier agricole qu'il pourra la soigner. Alors, surmontant ses craintes, il accepte. Il met son costume dans un balluchon, son béret sur la tête, et il part pour Hendaye.

Quand il arrive à la frontière, le procureur Bertier est là qui l'attend, en compagnie de celui qui sera son avocat pendant le procès. Il y a également, bien sûr, un interprète. Celui-ci lui explique, avec tous les ménagements possibles, qu'il devra retourner à la prison de Foix. C'est la loi française qui l'exige. Il faut qu'il soit incarcéré avant son procès.

Diego Marti a un regard vers la frontière. L'Espagne est là toute proche. Il a sans doute une dernière tentation, mais y renonce. Consuela est trop malade, il doit accepter.

Et quelques heures plus tard, il franchit de nouveau les portes de la prison de Foix.

Pour lui on a accéléré la procédure judiciaire. Son procès s'ouvre dès le lendemain. C'est le procureur Bertier qui tient la partie civile. Les jurés n'en reviennent pas. Le procureur fait sans doute plus encore pour l'accusé que son avocat. Il démontre point par point les faiblesses et les incohérences de l'enquête. Il explique comment Diego Marti a signé ses aveux, pensant qu'il s'agissait du meurtre d'un mouton, et il évoque les lourdes présomptions qui pèsent sur José Velasquez, décédé depuis.

L'avocat n'a plus qu'à conclure en demandant une grosse indemnité et le jury rend son verdict. Diego Marti est déclaré innocent; il recevra une indemnité de cent mille francs.

Diego Marti est reparti le soir même pour l'Espagne, innocent et riche. Dix millions de centimes pour quelqu'un qui en gagnait cinq mille par mois, c'était bien sûr une somme inimaginable, fabuleuse. Mais huit ans et cinq mois de vie ontils un prix quelconque?

MISS POUBELLE

LE jeune Buster Raymond Price, douze ans, tire la langue avec application. Il a installé son chevalet sur une petite hauteur d'où il découvre toute l'exploitation familiale. Il s'emploie à rechercher les couleurs exactes pour peindre le paysage qui s'étale sous ses yeux : du brun pour l'étendue uniforme du grand champ de pommes de terre, du rouge vif pour les machines agricoles en train d'effectuer la récolte, du blanc, bien éclatant, pour sa maison à l'arrière-plan.

Le jeune Buster Raymond considère son œuvre avec satisfaction. Il ne manque rien. La ferme est bien telle qu'elle est en réalité, avec son corps de bâtiments central et ses deux ailes disposées régulièrement de chaque côté. Il ne reste plus que le ciel. Là, il décide de faire une petite entorse au réalisme de sa peinture. Il va le peindre tout bleu, d'un bleu intense. Même si dans l'Etat du Vermont, au nord-est des Etats-Unis, c'est rarement le cas.

Buster Raymond Price a terminé sa peinture. Elle est particulièrement réussie pour un gamin de douze ans. Il trempe une dernière fois son pinceau et ajoute dans le coin droit en bas : « Pour maman », puis il signe « Raymond ».

Buster Raymond Price est particulièrement attaché à son second prénom : Raymond, un prénom français qui résume toute son existence.

Buster est né en 1945 de Joshua Price, alors soldat des troupes américaines en Europe, et de Raymonde Valet. Ils se sont rencontrés à Nancy et c'est là qu'il est né.

Nancy, Meurthe-et-Moselle : ce sont des noms étranges qu'il se répète souvent comme quelque chose d'un peu magique.

Buster Raymond Price n'est pas resté longtemps en France, un an seulement. Il en est reparti en 1946. Son père ne lui a jamais dit pourquoi il n'a pas épousé sa mère, pourquoi ils sont rentrés sans elle aux Etats-Unis. De sa toute petite enfance, Buster garde des souvenirs imprécis : un village aux rues étroites, aux maisons anciennes... Mais est-ce que ce sont de véritables souvenirs ? Est-ce qu'il n'a pas plutôt reconstitué par la suite cette première année de son existence ?

Car depuis qu'il est en âge de lire, Buster Raymond s'est passionné pour la France. Dans sa chambre, il a épinglé une affiche touristique : elle représente précisément un village aux rues étroites, aux toits tout rouges avec, en bas, en grosses lettres majuscules : France.

Son père Joshua s'est marié six ans après son retour aux Etats-Unis. Buster n'est pas malheureux. Il s'entend bien avec sa belle-mère ainsi qu'avec ses frères et sœurs. Il est gai, plein de vie. Avec ses taches de rousseur, ses cheveux blonds, ses airs dégourdis, il a tout du parfait petit Américain. A l'école, c'est un garçon travailleur, appliqué.

Et les années passent. Plus il grandit, moins Buster se sent l'âme d'un fermier. Malgré tous les efforts de son père, il ne parvient pas à s'intéresser à la monoculture de la pomme de terre. Ces grandes exploitations industrielles du Vermont qui s'étendent sur plusieurs centaines d'hectares et qui se ressemblent toutes, ne l'attirent pas. Il a plus que jamais la nostalgie d'une autre campagne qu'il n'a connue qu'en rêve.

Quand il a seize ans, son père se décide enfin à répondre à ses questions concernant sa mère.

« Tu es grand, maintenant, Buster. Il faut que je te dise. J'étais soldat. On n'avait pas beaucoup de distraction pendant la guerre, alors, pendant les permissions, on se contentait des femmes... faciles. Ta mère était de celles-là. »

Buster Price est bouleversé par cette révélation. Son père continue avec un sourire gêné :

« Tu comprends pourquoi nous ne nous sommes pas mariés. D'ailleurs, je lui ai demandé de venir aux Etats-Unis, mais elle n'a pas voulu me suivre... »

Après cette explication, Buster court s'enfermer dans sa chambre. Là, devant l'affiche touristique française, il réfléchit. Il imagine les temps difficiles qu'à dû vivre sa mère pendant la guerre. Pour s'en sortir, elle n'avait pas le choix. On ne peut pas juger de ce que font les gens pendant la guerre. Malgré tout, il ne lui en veut pas, il a toujours envie de la revoir, même s'il comprend à présent pourquoi son père ne l'a pas épousée...

Buster Raymond Price continue ses études. Il suit des cours à l'Université de Montpelier, la capitale du Vermont. Il aime cette petite ville provinciale parce qu'elle porte un nom de ville française. C'est maintenant un jeune homme séduisant qui plaît aux filles. Il passe brillamment ses examens.

Pourtant, depuis qu'il est adulte, il a une obsession : chercher sa mère, aller la voir en France. Ainsi, il aura retrouvé la partie manquante de lui-même, il sera pleinement lui. Il a besoin de cela pour se lancer dans la vie.

Buster Price se rend au consulat de France à Montpelier et demande qu'on fasse des démarches pour savoir où se trouve actuellement sa mère. L'employé lui répond que ce sera long et difficile, mais qu'il aura satisfaction.

Et un jour de 1967, alors qu'il a vingt-deux ans, il reçoit une lettre à en-tête du consulat de France. Il la décachète avec fébrilité et lit :

« Monsieur, suite à votre demande, nous avons le plaisir de vous faire savoir que votre mère, Raymonde Valet, réside actuellement à Haumont, Meurthe-et-Moselle, villa *Les Canaris* ».

« Haumont »... Buster Raymond recueille ce nom comme un sésame. C'est la clef qui va ouvrir la partie cachée de sa vie. Désormais, il n'a plus qu'une hâte, se retrouver dans ce lieu auquel il rêve depuis qu'il est enfant, auprès de sa mère qui a dû tant souffrir.

Dès qu'il a terminé ses études, il demande à faire son service militaire en Allemagne. C'est tout près de la Lorraine, il pourra s'y rendre quand il voudra.

La demande d'affectation de Buster Raymond Price est acceptée. Et en mars 1967, il part pour l'Europe. Son père, au moment des adieux, a l'air contrarié. Visiblement, il y a quelque chose qu'il voudrait lui dire, mais il n'ose pas. Buster, lui, sourit de toutes ses dents. Il y a bien une pensée qui le chagrine : depuis qu'il connaît l'adresse de sa mère, il lui a écrit plusieurs fois et elle n'a jamais répondu. Mais il chasse cette préoccupation de son esprit. Tandis qu'il monte dans l'avion, au milieu des autres appelés, il n'a plus qu'une seule idée : bientôt, il sera en France, bientôt, cette photo jaunie et conventionnelle sur les murs de sa chambre sera une réalité, bientôt, il connaîtra sa mère...

Les premières semaines de Buster Raymond Price en Europe sont pénibles. Il a été affecté à Landau, en Allemagne fédérale, non loin de la frontière française. Mais il n'y a pas de permission pendant les trois premiers mois de service. Il doit donc attendre, tout près de cette Meurthe-et-Moselle où il est né.

Il écrit de nouveau à sa mère, et cette fois il a une réponse. Un petit mot griffonné à la hâte et parsemé de fautes d'orthographe :

« Mon petit Raymond, je suis contente que tu viennes. Apporte-moi un peu d'argent parce que j'en ai besoin. Ta mère. »

Malgré la sécheresse du billet, Buster Raymond le garde précieusement. Il s'était mis à douter du renseignement que lui avait donné le consulat de France. Maintenant, il est sûr que sa mère existe bien, qu'elle habite effectivement à Haumont, Meurthe-et-Moselle, dans cette villa au nom charmant : *Les Canaris*. Il compte les jours qui le séparent de sa première permission. En revanche, il lit rapidement les lettres de son père. Des lettres gênées, le mettant en garde contre une déception possible.

Mais Buster n'en tient aucun compte. Il trouve normal que son père soit inquiet. Il a peur qu'il s'attache trop à sa mère et peut-être – qui sait? – qu'il n'ait pas envie de rentrer aux Etats-Unis...

3 juillet 1967. C'est la première permission de Buster Raymond Price. Son paquetage sur le dos, il quitte la caserne. Avec lui, il emporte deux objets : un bracelet en or qu'il a acheté avant de quitter les Etats-Unis et le tableau naïf qu'il avait peint à douze ans, représentant la ferme paternelle.

Buster fait de l'auto-stop. Les automobilistes s'arrêtent sans difficulté en voyant ce grand soldat américain en uniforme, au sourire franc et sympathique, aux yeux candides.

En plus, il a quelque chose qui attire : il a l'air heureux.

De voiture en voiture, Buster Raymond Price traverse la frontière, entre, avec un pincement de cœur, dans le département de Meurthe-et-Moselle. Enfin, il aperçoit les toits de Haumont. Il descend pour faire les derniers mètres à pied. Il s'arrête sur une petite hauteur d'où il voit la totalité du village et il regarde, bouleversé... C'est magnifique, c'est exactement ce dont il avait rêvé : ces petites rues groupées autour de l'église et la place de la mairie. Ces champs entourés de haies, aux cultures si variées. Il sort le tableau qu'il a emporté pour sa mère et regarde alternativement sa toile et le paysage. D'un côté, les champs de pommes de terre et la ferme blanche, de l'autre les petites maisons aux vieilles pierres. Il sourit. Il a retrouvé sa moitié manquante. Il a l'impression d'être maintenant un homme complet.

Buster sort de sa rêverie et descend vers Haumont. Il marche lentement, il voudrait faire durer le plus longtemps possible ces instants privilégiés.

Il est maintenant sur la place du village. Il pousse la porte de l'unique café de Haumont qui s'ouvre avec un bruit de grelots. Le patron et la patronne ont un sourire en apercevant ce grand militaire américain au sourire rayonnant. Buster s'accoude au comptoir, commande un Coca-Cola et demande dans un français presque sans accent :

« Excusez-moi, je voudrais savoir où est la villa *Les Canaris,* Mme Valet. »

Le patron du bistrot ouvre de grands yeux. Il met un certain temps à répondre tant la question l'a surpris. Enfin, il dit, d'un ton incrédule :

« Vous allez chez " Miss Poubelle "? »

Le soldat américain a un sursaut, comme s'il venait de recevoir une décharge électrique. Il agrippe le patron par le col. Il se met à répéter, tout en le secouant :

« " Poubelle ", pourquoi " poubelle "? »

Le patron, qui n'en mène pas large, s'excuse aussi platement qu'il peut.

« Il ne faut pas m'en vouloir. Je ne savais pas que c'était une de vos amies. »

Buster réplique d'une voix cinglante :

« C'est ma mère! »

Le patron lui explique en quelques mots le chemin. Buster Raymond Price paie et s'en va. La porte fait à nouveau un bruit de grelots. Il n'entend pas la patronne qui murmure à son mari :

« Pauvre petit... »

Buster, son paquetage de soldat sur l'épaule, traverse Haumont à grandes enjambées. L'adresse indiquée est tout au bout du village... Il pense un instant s'être trompé mais il distingue sur la boîte aux lettres deux canaris grossièrement peints.

Buster Raymond Price reste indécis devant la barrière branlante dont la peinture a disparu depuis longtemps. Il regarde le petit jardin qui s'étale sous ses yeux. Il est difficile d'imaginer quelque chose de plus sordide, de plus répugnant. Les mauvaises herbes envahissent tout. Il n'y a pas d'allée. Çà et là, des débris ont été jetés au hasard : un sommier éventré, des bassines d'émail depuis longtemps rouillées, une roue de vélo, de vieux chiffons et, juste en face de lui, un tas d'ordures indéfinissables...

Buster, la gorge brusquement serrée, s'avance avec précaution dans le jardin. La maison est tout aussi délabrée que ses abords. Pas un volet ne tient, un carreau est cassé. Il pose son paquetage et sonne. Il y a un bruit de meubles déplacés à l'intérieur et puis une voix s'élève, une voix vulgaire, mal assurée, pâteuse.

« Voilà... On y va. »

Buster Raymond Price a eu le temps de se remettre du choc qu'il avait éprouvé en constatant la pauvreté des lieux. Il vient de découvrir que sa mère est dans la misère. C'est la raison pour laquelle elle n'avait pas osé répondre à ses lettres. Elle avait honte... Il se sent brusquement heureux qu'elle ait besoin de lui. Il sourit, il sourit de toutes ses dents quand la porte s'ouvre. Et, brusquement, son sourire se fige...

L'être (il n'y a pas d'autre mot), l'être qui vient de s'encadrer sur le seuil, est encore plus répugnant, encore plus délabré que le jardin et la maison. C'est une femme sans âge, outrageusement maquillée. Le rouge déborde de ses lèvres épaisses, tout son visage est badigeonné de fard. Elle est vêtue d'un corsage rose vif dans lequel elle se répand et d'une jupe vert pomme.

Buster regarde à gauche et à droite comme s'il cherchait quelqu'un d'autre. Il ne veut pas y croire. Il s'accroche à un espoir dérisoire.

« Excusez-moi, madame, je cherchais Mme Valet, Raymonde Valet. »

La femme hausse les épaules et retire de ses lèvres un mégot éteint.

« C'est moi, pardi ! C'est toi Buster, je parie. Allez, ne reste pas planté là, entre. »

Sans trop savoir ce qu'il fait, Buster pénètre dans le pavillon. Une odeur écœurante de parfum bon marché le prend à la gorge. Le rez-de-chaussée se compose d'une unique pièce. Le jeune homme écarquille les yeux. Les murs sont tapissés de photos pornographiques. Les unes ont été découpées dans des revues spécialisées, mais les autres sont de vraies photos. Elles représentent des couples nus et, sur plusieurs d'entre elles, il reconnaît sa... mère !

La femme s'aperçoit de sa surprise. Elle a un rire sonore :

« Qu'est-ce que tu crois, c'est pas un palace ici. Il faut bien que je vive. Mais c'est dur. Il n'y a pas plus radin que les paysans d'ici ! »

Buster Raymond Price, qui avait déjà sorti le petit paquet renfermant la toile qu'il avait peinte à douze ans et le bracelet en or, est saisi par une pensée qui occupe tout son esprit, qui l'empêche de se concentrer sur quoi que ce soit d'autre.

« Mon tableau ! Où pourrait-elle mettre mon tableau ? Ce n'est pas possible, au milieu de toutes ces horreurs... »

La voix de la femme le tire de sa rêverie.

« Alors, tu m'as apporté de l'argent ? Tu m'as apporté de l'argent, dis ? »

Tandis qu'il reste figé, elle se met à défaire le paquet qu'il a posé sur la table. Elle repousse le tableau avec une grimace puis prend le bracelet, le soupèse.

« Ouais, c'est pas mal... Mais tu te rends compte qu'il va falloir que j'aille à Nancy pour le vendre. Et je vais sûrement me faire avoir, les bijoutiers sont tous des voleurs. »

Le grand jeune homme est toujours immobile dans son uniforme américain, les bras ballants, la bouche ouverte. La femme s'énerve.

« T'entends ce que je dis au moins ? Pourquoi tu n'as pas apporté des billets ?... »

Non, Buster ne semble pas l'entendre. Il murmure, l'air hébété :

« Mon tableau. Mon tableau... »

Raymonde Valet s'anime soudain. Elle l'agrippe par son uniforme :

« Quoi, ton tableau ? Qu'est-ce que tu veux que j'en fiche de ton tableau ?... Donne-moi de l'argent ! »

Elle se met à le secouer frénétiquement :

« Des dollars, t'en as sûrement plein les poches. Donne-les-moi. »

Alors, tout se brouille dans la tête de Buster. La France, sa mère, son rêve... Et cette femme... Il se met à frapper. Il y a un tisonnier dans la cheminée. Il frappe encore cette femme qui crie, cette femme qui hurle, il la frappe pour qu'elle disparaisse, pour que son rêve reste intact, pour sa mère...

Deux mois plus tard, Buster Raymond Price est arrêté dans un bar de Landau au cours d'une bagarre entre soldats. Depuis sa permission, il n'était plus le même. Lui, jusqu'ici si discipliné, avait pris l'habitude d'aller s'enivrer avec les pires éléments de la garnison.

Au poste de police, Buster demande à voir le commissaire. En présence de celui-ci, il déclare d'une voix sans timbre :

« J'ai tué une femme il y a deux mois, à Haumont, en France. Je pense que c'était... ma mère. »

La nouvelle déclenche une enquête en France et les policiers découvrent le corps de Raymonde Valet à l'endroit qu'a indiqué le jeune homme, enterré dans un coin du jardin, sous le sommier éventré. Car aussi incroyable que cela paraisse, depuis deux mois, personne au village ne s'était aperçu de sa disparition !

Aux Assises de Nancy, Buster Raymond Price a été condamné à cinq ans de prison. Bien qu'il s'agisse d'un matricide, les jurés lui ont trouvé de larges circonstances atténuantes. Ses cinq ans, il les a passés en compagnie de son tableau qu'il avait accroché sur le mur en face de lui : un champ de pommes de terre uniforme, une ferme toute blanche ressemblant un peu à une usine, un paysage sans originalité et sans caractère qu'il n'aurait jamais dû quitter. Dans le coin droit en bas, il n'y avait plus ni dédicace ni signature, rien qu'un trou dans la toile.

LA MADAME

An 1952 du beau pays de France. Maria Portado et son fils arrivent dans une ville de province. Produits importés directement d'un village espagnol, Maria et son fils contemplent avec éblouissement la lumière des avenues, les réclames des magasins et le flot des voitures. C'est beau, une ville de France. C'est beau, la France. En France on trouve du travail et de la considération, pourvu qu'on ait deux bras, comme Maria, pourvu qu'on ait les reins solides, comme Maria, pourvu qu'on ait de la chance, comme Maria, on peut devenir bonne à tout faire dans une belle maison bourgeoise. Ceci à condition de la trouver cette maison. Au hasard des passants, Maria montre un petit papier sur lequel est inscrit en français l'adresse de la belle maison et le nom des propriétaires, ses futurs patrons. Personne n'est venu la chercher à la gare, c'est bien ennuyeux car Maria ne comprend pas grand-chose aux explications qu'on lui donne. Première à droite, avenue machin, tout droit à gauche après le square, traduit en espagnol c'est un véritable labyrinthe.

Le chemin est long et Maria tourne en rond longtemps, traînant d'une main sa valise de carton, et de l'autre un gamin de huit ans. La valise est lourde et le gamin fatigué, mais Maria en a vu d'autres. D'autres, et de toutes les couleurs. Etre fille mère en Espagne en ce temps-là équivaut à battre un record d'endurance morale et physique. Maria n'a jamais cédé, ni aux quolibets, ni à la méchanceté, à la pauvreté ou à la honte. Maria porte sa trentaine et son gamin à bout de bras. Alors, trouver son chemin dans une ville inconnue, dans une langue inconnue, ce n'est pas une misère, c'est la promesse d'une vie meilleure.

La grille est imposante, le jardin délicat, la cloche si discrète que Maria la maltraite un peu, croyant qu'elle ne marche pas. Elle a un grand sourire, Maria, un grand sourire fait de dents blanches et solides, sur un teint basané. Mais tout le reste est noir. Noire la robe, noirs le fichu, les chaussures et les bas. Noire la pèlerine. Maria montre son petit papier, sa valise, se montre elle-même du doigt et articule :

« Moi, Maria... moi, travail ! »

On fait entrer Maria dans un salon de velours. Maria marche avec précaution sur un sol de tapis comme elle n'en a jamais vu qu'à l'église, et la dame qui la reçoit est aussi blonde, mince et belle que Maria est noire, forte et laide.

C'est la dame qui a choisi Maria l'été dernier au village. La dame qui était en vacances et qui a dit à l'oncle de Maria :

« Si elle est en bonne santé, je la prends à mon service. »

C'est tout juste si l'oncle n'a pas montré les

dents et fait tâter les mollets de Maria pour la mettre en valeur.

A présent la dame regarde Maria, sa valise et son gosse d'un air furieux. Que se passe-t-il ? La dame baragouine son mécontentement dans un espagnol approximatif mais le sens est clair. Elle a engagé Maria, et Maria seule. Que fait là ce gamin ? Cette femme n'espère tout de même pas qu'il va rester là ? C'est du chantage ! Il n'a jamais été question d'un enfant, l'oncle n'en avait pas parlé ! Que Maria se débrouille, mais il n'est pas question de lui laisser prendre son service dans ces conditions.

Elle doit partager une chambre avec la cuisinière, et il n'y a qu'un lit de toute façon, et puis Madame n'aime pas que les domestiques attirent leur famille à la maison, surtout les enfants, ils cassent tout ! Et puis quoi, il n'était pas question de cet enfant ! Maria doit le renvoyer en Espagne, elle peut prendre sa journée pour ça, mais pas plus, elle est déjà en retard, on l'attendait hier.

Maria explique qu'il s'agit de son fils, de son propre fils, son fils unique, et que ce fils ne peut pas vivre ailleurs qu'à ses côtés. L'oncle n'en veut pas d'ailleurs, et il n'a jamais dit que Maria devait partir seule, jamais. Au fond c'est elle qu'on a trompée.

On lui répond que « c'est comme ça ma fille », et que « si elle n'est pas contente, il faudra rendre l'argent que la Madame a donné d'avance à l'oncle pour le voyage ». Ça, Maria ne le savait pas. L'oncle n'a pas donné d'argent. Maria a payé elle-même le voyage pour elle et le gamin sur ses économies, c'est pour ça qu'elle a mis un jour de plus, pris le car, le train de nuit, et dormi dans la gare.

Mais Madame ne veut pas croire cela, Madame pense que Maria et son oncle sont des voleurs et qu'ils ont profité d'elle, en voulant lui imposer en plus la présence de ce gamin. Et Madame n'a pas l'intention de discuter plus longtemps. Ou Maria renvoie son fils au village et prend son service demain matin, ou elle rend l'argent et s'en va !

Alors Maria s'en va. Mais Maria ne peut rendre l'argent. Elle montre son porte-monnaie, il n'y a plus rien, plus rien, dix pesetas seulement.

Cette fois Madame se fâche tout rouge. Madame a horreur de ces scènes ridicules, horreur qu'on joue les pauvres devant elle pour l'attendrir, Madame prie Jean, le maître d'hôtel, de bien vouloir la débarrasser de cette femme. « Tant pis, nous n'aurons pas de bonne espagnole, mais qu'on ne m'en parle plus. Je réglerai cette histoire plus tard, et la prochaine fois je prendrai une Portugaise ! »

Que Maria se retrouve sur le trottoir à 1 200 kilomètres de chez elle, avec dix pesetas, pas de contrat de travail et un gamin qui devrait être à l'école, Madame ne s'en fiche pas. C'est plus grave, elle n'y pense pas, tout simplement. C'est que Madame a bien autre chose en tête, elle est femme d'industriel et elle partage les soucis de son mari à l'heure du thé, entre femmes d'industriels. Son fils fait les pires bêtises, en cette première année de droit qu'il recommence pour la troisième fois, sa fille court les universités en y apprenant bien autre chose que l'histoire de l'art, sa couturière ne livre jamais en temps voulu, son coiffeur a raté sa teinture, sa voiture est en panne, alors, Maria, dans tout ça, qu'est-ce que Maria ?

Maria disparaît dans l'anonymat d'un soir d'automne avec, pour tout bagage, dix pesetas, quelques pièces de monnaie. Que faire? Où aller? Pour quelqu'un qui connaîtrait les lois sur l'immigration des travailleurs étrangers, ce serait simple. Mais Maria ignore tout des conventions sociales, et en aurait-elle vaguement l'idée qu'il serait difficile de l'exprimer en français. Le seul refuge qui soit pour elle international, celui que l'on reconnaît facilement et de loin, celui dont les portes sont toujours ouvertes, c'est une église.

Maria se réfugie donc dans la première église venue. Elle y fait une prière et décide d'aller demander conseil au curé. Un curé est toujours de bon conseil. Maria installe valise et gamin derrière un pilier, et se met à la recherche du maître des lieux par délégation.

Pour faire comprendre son histoire à l'abbé, il lui faut bien deux heures d'horloge. Pour lui faire comprendre ensuite qu'elle ne veut pas d'argent, mais du travail, c'est presque aussi long. Mais elle trouve, grâce à lui, un lit dans un foyer d'aide aux étrangers, et l'emploi provisoire de femme de ménage à l'église, en attendant. Un provisoire qui dure. Un provisoire qui devient définitif au bout de quelques mois.

Maria finit par avoir une chambre à la cure, son fils à l'école, des papiers en règle. Maria remercie Dieu, sert l'église et son curé avec dévotion. Et comme il est difficile de se confesser en espagnol à un curé français, elle garde sa rancœur pour elle.

L'orgueil de Maria, qui lui a toujours servi de soutien, l'orgueil qui lui a permis d'affronter les on-dit, d'avoir un fils et de l'élever dignement, cet orgueil-là est malade. Quelqu'un, quelque part, pense qu'elle est une voleuse, et c'est insupportable. Si elle avait pu s'expliquer, la blessure serait moins grave. Mais Maria sait bien que c'est impossible. Même le brave curé n'a pas tout à fait compris cette histoire d'oncle et d'argent disparu. Maria, elle, a compris. On s'est débarrassé d'elle et de son fils à bon compte. Jamais elle ne retournera au village. Mais il lui faut retrouver l'honneur auprès de la dame. Et c'est compliqué. Maria ne va tout de même pas rendre de l'argent qu'elle n'a pas volé !

Laborieusement, elle écrit à son oncle pour lui demander de restituer ce que la dame a donné pour son engagement. Et tout aussi laborieusement, l'oncle répond que l'argent de la dame est à lui, car il a donné à Maria pour partir une valise, des chaussures au fils, et que la tante a donné un chapelet et une pelisse. Que Maria rende l'argent elle-même, et l'incident est clos. L'oncle ne dit même pas combien d'argent. Maria explique alors au curé qu'il lui faut savoir combien d'argent elle doit rendre, et le supplie d'aller voir la Madame.

Bonhomme, le curé va donc voir la Madame, et en revient avec un grand sourire. Maria peut dormir tranquille, dans un geste de charité que l'on ne peut croire dédaigneux, la Madame renonce à la dette. Maria est contente ?

Non, Maria n'est pas contente. Ce n'est pas ainsi qu'on guérira son orgueil. Maria ira travailler chez la Madame, en plus de ses heures normales, elle ne retrouvera la tranquillité qu'à ce prix.

Malheureusement, c'est impossible, on n'a pas besoin d'elle, on a engagé quelqu'un d'autre, et M. le curé ne comprend pas cette obstination maladive. Il ne faut plus parler de tout ça, et oublier. Que diable, Dieu pardonne, et Dieu oublie les péchés des autres! Pourquoi pas Maria... ?

Alors Maria se résigne. Elle enfouit le petit papier avec l'adresse de la dame dans son porte-monnaie, et les années passent. De lessive en vaisselle, de poussière en repassage, M. le curé vieillit, Maria aussi. Ce n'est pas la misère, on a au moins du charbon l'hiver, et les gages de Maria sont un peu fonction de la générosité de la quête du dimanche, et des subsides de l'évêché. Ils servent en totalité au gamin qui va à l'école, à l'adolescent en apprentissage, au garçon qui enfin gagne sa vie, parle français, et se désole que sa mère le baragouine toujours aussi lamentablement.

An 1968 du beau pays de France, Maria la solide, Maria la dure à l'ouvrage, n'est plus. Seize ans ont passé. Et c'est long, seize ans. Suffisamment long pour oublier.

Dans les affaires de sa mère, le fils a trouvé un testament, avec un petit papier blanc, et il en a suivi les dernières volontés à la lettre. Il est allé à l'adresse du petit papier blanc, il a sonné, on l'a fait entrer dans un salon de velours qui lui rappelait de vagues souvenirs. Une femme vieillissante et pincée lui a demandé ce qu'il voulait. Alors il a déposé devant elle une valise en carton, une paire de chaussures d'enfant, une pelisse et un chapelet de perles noires.

La dette de sa mère, a-t-il dit, d'un petit air gêné.

Et la Madame l'a jeté dehors, car on ne se refait pas, surtout en vieillissant.

ARRÊT D'AUTOCAR

Jimmy Ash, le nouveau chauffeur du car, sur la ligne Canyon-Hereford au Texas, est inquiet. La neige tombe en flocons serrés.

Mais le vieux pompiste de la station de bus prétend qu'on n'a jamais vu de tempête par ici. Quant au représentant de la compagnie, il s'en fiche. La neige dans cette région ne peut être qu'un frein sans importance, bien que les vitres du car aient l'air d'être en coton. Il est vingt-deux heures, c'est l'heure du départ, et Jimmy s'adresse aux voyageurs : quatre femmes, un bébé, et deux hommes.

« Ecoutez, je ne suis pas d'ici, et je suis nouveau sur cette ligne. Cette neige m'inquiète. Vous êtes sûrs de vouloir partir ? Je vous rappelle que nous allons voyager toute la nuit, c'est peut-être risqué ? »

L'un des hommes se lève, étonné :

« Qu'est-ce qui te prend, mon gars ? T'as peur du froid ? On n'est pas au pôle Nord, ici ! »

Et l'homme éclate d'un grand rire.

Jimmy répète que le temps s'est aggravé depuis son voyage à l'aller, et que le car n'est pas équipé de chaînes pour la neige, mais l'homme secoue la tête d'un air réconfortant.

« Mon gars, ici la neige ne tient jamais. Dans une heure, c'est fini, et moi j'ai besoin d'arriver à l'heure, demain matin. Ce car fait la route tous les jours, c'est bien ma veine de tomber sur un froussard. »

Les autres voyageurs acquiescent en riant. Seule la jeune femme au bébé paraît incertaine. Elle regarde Jimmy et dit :

« Moi je ne sais pas. Je ne suis pas d'ici, alors c'est vous qui décidez. »

C'est fait. Jimmy se sent même un peu ridicule. Aucun chauffeur ne se conduirait comme lui. Et pourquoi pas un référendum ? Oui, on part, non, on reste.

Jimmy cogne dans ses pneus, vérifie l'huile, et démarre. A Dieu vat ! Et après trois heures de route à 30 à l'heure, rien ne va plus. Le car est bloqué par une congère d'un mètre de haut. Les roues patinent. Il est une heure du matin, il fait – 12° à l'extérieur, le prochain village est à dix kilomètres environ. Jamais une pareille tempête de neige n'avait eu lieu dans le pays. Mais il est trop tard pour s'en étonner.

Jimmy grelotte. Son pantalon et ses chaussures minces sont gelés. Avec les deux voyageurs, il a tenté vainement de dégager l'énorme bus; mieux vaut rester à l'intérieur, et mieux vaut attendre dans la chaleur relative entretenue par le moteur.

Cette fois, les voyageurs sont conscients de la situation. Si conscients qu'ils s'en prennent à Jimmy avec une injustice incroyable.

« Si vous étiez si sûr de vous, il ne fallait pas partir ! C'est vous le responsable ! »

Que faire ? Attendre les secours ? Jimmy allume la radio du bord, et ce qu'il entend lui coupe tout espoir. Le journaliste commente l'incroyable tempête qui s'est abattue depuis quelques heures sur la région, dans un rayon de plusieurs kilomètres. Routes barrées, et secours aléatoires. Les hélicoptères ne peuvent pas décoller. Des dizaines de voitures sont bloquées sur la route, et pour couronner le tout, aucun chasse-neige dans son secteur. « Conseils aux voyageurs », dit le journaliste :

« Ne sortez pas de vos véhicules. Faites tourner le moteur toutes les dix minutes pour éviter qu'il gèle. Ne pas épuiser le carburant. L'attente risque de durer plusieurs heures avant les premiers secours, et les conditions météo sont toujours en aggravation. »

Dans le bus, c'est l'affolement. Pas de nourriture, sinon les deux sandwiches de Jimmy. Pas de boissons chaudes, pas de vêtements de neige. Dès que le moteur s'arrête de tourner, la température intérieure descend à – 6°. Jimmy est assailli de réclamations auxquelles il ne peut pas donner de suite.

La grosse dame du fond exige de pouvoir téléphoner ! Sa voisine réclame une couverture ! La troisième prétend que les hommes pourraient dégager le bus s'ils faisaient un petit effort. Les deux hommes s'en prennent à elle, en lui conseillant d'aller pousser elle-même les 3000 kilos dans le mur de neige qui leur barre la route.

Mais ces cinq-là n'inquiètent pas tellement Jimmy. Il a peur pour la jeune femme au bébé. Elle est vêtue pauvrement et légèrement. Et le gosse qui n'a pas plus de vingt mois a déjà les joues bleues de froid.

Alors il fait tourner le moteur un peu plus longtemps. Puis comme les autres le lui reprochent, il se défait de son blouson et en enveloppe le bébé.

Une heure passe. La radio entretient l'inquiétude et la neige ne s'arrêtant pas, Jimmy prend une décision. Les secours n'arriveront pas à temps. Il va donc marcher jusqu'au prochain village en suivant la route. Un des passagers fera tourner le moteur de temps en temps. Avec de la chance, le réservoir peut durer encore trois heures, en économisant. Quant à lui, il se débrouillera pour revenir avec des vivres, du café, et un véhicule muni de chaînes. Jimmy fait ses recommandations, et sort dans la nuit.

Il n'a pas fait cent mètres qu'il retourne au car. Impossible d'aller plus loin en chemise. Ses oreilles gèlent et le froid lui transperce les côtes. Après quelques minutes de palabres, il arrive à se faire prêter un pull-over par l'un des hommes. Il négocie avec la grosse dame le foulard qu'elle serre jalousement sur sa tête. Et il se jette dans la tourmente, sans en avoir obtenu davantage. Des souliers minces, des chaussettes fines, des gants non fourrés, une chemise, un pull-over, et un simple foulard sur la tête, c'est une folie par ce temps ! Mais Jimmy compte sur sa résistance physique, sur ses vingt-cinq ans, et sur son courage.

Il en faut pour affronter la tourmente. Aveuglé par la neige, les mains serrées dans ses poches pour ne pas qu'elles gèlent, Jimmy avance en trébuchant, les yeux fixés sur les poteaux télégraphiques. C'est le seul moyen de ne pas perdre sa route.

Mais sa marche est difficile. Il glisse et tombe à chaque instant. L'uniformité de la neige, ce blanc à perte de vue, lui brouille les yeux. Pendant la première heure de marche, son moral est à peu près intact, et ses forces également. Certes, il a froid. Si froid qu'il lui semble que ses muscles ont durci, mais il n'a pas perdu la route, et il a dû faire environ trois kilomètres.

Puis la tempête redouble de violence, et Jimmy ralentit sa progression. Il tombe de plus en plus dans des crevasses insoupçonnables. Il a de plus en plus de mal à lever les jambes au-dessus des monticules de neige qui se forment à chaque pas. Ramper serait même plus facile. A un moment, la panique s'empare de Jimmy. L'une de ses jambes, paralysée par le froid, refuse de sortir d'une ornière. Il est obligé de l'en tirer à deux mains, et l'effort l'épuise.

Alors, pour se réchauffer, il entreprend une séance de frictions et de claques. Tout seul, dans ce désert blanc, il a l'air d'un fou sautillant. Le souffle coupé, un point douloureux dans les côtes, Jimmy reprend sa lente progression, comme un automate. Et tout à coup, miracle! Une voiture! Immobilisée par la neige, avec deux passagers. Jimmy cogne au carreau, et se jette à l'intérieur avec reconnaissance. Il ne peut même plus parler. Quand il y parvient et explique la situation, les deux hommes tentent de l'empêcher de repartir, mais Jimmy s'obstine. La chaleur d'une cigarette l'a réconforté provisoirement. Il en emporte plusieurs. Chaque mégot allumé lui tiendra chaud aux doigts quelques minutes. C'est tout ce que peuvent lui offrir les deux naufragés. Jimmy promet de signaler leur présence, et repart. Il a appris qu'il n'était qu'à six kilomètres du village, et qu'il y avait une station-service à droite et un café à gauche. Il est cinq heures du matin.

Il reste cinq kilomètres, et Jimmy marche encore sur ses pieds. La neige durcie a transformé ses chaussures en bottes de glace, mais il avance.

Quatre kilomètres : Jimmy marche encore, moitié sur les genoux, moitié sur les pieds. Il ne distingue les poteaux sur la route que d'un œil. En tâtant son œil droit, il a l'impression de toucher un glaçon. Il bouge la tête de droite à gauche, et une terreur lui vrille l'estomac. Il est aveugle d'un œil, il ne le sent plus, tout son côté droit est comme insensible.

Trois kilomètres : Jimmy rampe sur les genoux. Il est sept heures du matin et un pâle soleil éclabousse la neige. Les flocons ne tombent plus, mais un vent coupant comme un rasoir lui cisaille la peau.

Deux kilomètres : Jimmy s'effondre comme un pantin. Son œil gauche se trouble. Il a peur, si peur de rester là, et de ne plus pouvoir avancer.

Un kilomètre : La route verglacée lui permet de marcher presque normalement, mais comme un homme ivre, et trop lentement. Il est dix heures du matin et il n'a pas mangé depuis vingt-quatre heures. Il marche dans cet enfer glacé depuis huit heures.

Cinq cents mètres : Jimmy avance en aveugle, en s'appuyant au fossé de neige qui borde la route. Il a moins neigé par ici, semble-t-il. Pas plus de deux ou trois mètres. L'approche du but, le premier toit qu'il devine au loin, dans le brouillard de son œil gauche, lui font tourner la tête. Il va tomber là, car les derniers cinq cents mètres sont un calvaire. Il ne sait plus s'il avance, il ne sait plus quelle heure il est, il ne sait plus comment il tient debout. Enfin, voici la station-service à droite et le café à gauche. Jimmy est seul à l'entrée de ce village. Le café n'est plus qu'à cinquante mètres; si quelqu'un pouvait en sortir, si quelqu'un pouvait le voir! Car il ne peut plus ni parler, ni crier. Son pied droit bute sur quelque chose et il s'effondre dans un trou de neige, sans pouvoir se relever.

Après avoir fait tout ce chemin, il pourrait mourir là, sans que personne le voie. Son dernier effort sera de siffler entre ses dents. Non pas avec ses lèvres gelées, car c'est impossible, mais entre les dents. C'est ce grincement étrange qu'un homme perçoit en sortant du café, et quelques minutes plus tard Jimmy, transformé en momie, presque aveugle, geignant de douleur au fur et à mesure qu'il se réchauffe, murmure aux villageois, stupéfaits :

« Car bleu... bébé dedans, froid... bébé froid... s'il vous plaît... bébé froid... car bleu, onze kilomètres... bébé froid. »

Depuis plusieurs heures, faute d'essence, le moteur du car ne tournait plus. Mais les passagers s'étaient réconciliés autour du bébé. Pour qu'il ne meure pas de froid, ils avaient fait comme la mère. D'abord, le réchauffer en lui soufflant dessus comme des bœufs et des ânes qu'ils étaient. Ensuite se serrer autour de lui, en une muraille de chaleur humaine. Ensuite, ils lui avaient fait avaler la mie du pain des sandwiches, chauffée sur le radiateur du bus. Ils étaient sûrs que Jimmy réussirait, mais Dieu sait pourquoi.

La tempête les avait rendus plus humains finalement et ils s'en souviendraient. Mais moins que Jimmy, beaucoup moins, avec un œil et quelques doigts de pied gelés, Jimmy s'en souviendrait encore plus, et plus longtemps. C'est normal.

FLOU EN NOIR ET BLANC

Tous les enfants, paraît-il, s'imaginent un jour ou l'autre que leurs parents ne sont pas leurs vrais parents. En règle générale, vers l'âge de huit ou dix ans, ils se croient nés au bord d'une route, ou abandonnés par un prince quelconque, ou volés par des romanichels et recueillis par des braves gens. Ces braves gens, bien entendu, ce sont papa-maman qui ont promis de ne jamais révéler le secret, quoi qu'il advienne.

Ceci est valable pour les enfants qui ont des parents, à portée de la main. Mais les autres? Ceux que l'on a vraiment trouvés au bord d'une route, ceux qui ont porté un numéro toute leur enfance? Ceux qui ne savent vraiment pas où se trouvent leurs racines, et quelle sorte de père ou de mère les a laissés là, comme des fleurs coupées. Ceux-là, rêvent-ils? Sans doute, et ils font même des cauchemars.

Betty-Anne s'est toujours regardée dans les glaces. C'est une manie. Depuis qu'elle a découvert son visage, elle n'a cessé de le contempler, dans tout ce qui le reflète : les couvercles de boîtes, les vitrines, les carrosseries de voitures, les flaques d'eau et les miroirs.

Betty-Anne habite une petite ville de la côte non loin de San Francisco. M. et Mme Wisley l'ont adoptée à l'âge de trois ans, par l'intermédiaire d'une association d'aide à l'enfance. C'était en 1941.

Mme Wisley avait perdu son bébé à la naissance et n'en aurait plus jamais. Peu à peu l'idée de l'adoption avait fait son chemin. Il avait fallu dix ans. Cinq pour réfléchir, cinq pour avoir le bébé.

Betty-Anne s'était donc retrouvée dans les bras d'une mère de quarante ans, et sautant sur les genoux d'un père cinquantenaire. Elle, professeur de musique à domicile, lui, ingénieur électricien.

Lorsque Betty-Anne eut passé dix ans, Mme Wisley voulut lui dire : « Je ne suis pas ta mère. » Mais son mari ne voulait pas encore. Lorsque Betty-Anne eut quinze ans, M. Wisley voulut lui dire : « Je ne suis pas ton père. » Mais c'est sa femme qui n'en eut pas le courage. Si bien que le jour anniversaire de ses dix-huit ans, Betty-Anne reçoit de ses parents un étrange cadeau : la vérité.

Cent fois retournée, mille fois retenue, la petite phrase idiote et cruelle est enfin lâchée : « Nous ne sommes pas tes vrais parents... »

C'est une sensation étrange. Betty avale l'information, comme si elle l'avait toujours su. Ce qui ne l'empêche pas d'être dévorée de curiosité. C'était où, quand, comment ? Où m'a-t-on trouvée, qui m'a abandonnée ? Mais les parents ne savent rien. Ils ont accepté, depuis le début, de ne rien savoir. On leur a proposé une enfant abandonnée par la mère, et déclarée de père inconnu, ils l'ont prise les yeux fermés. L'enfant s'appelait Betty. Ils ont rajouté Anne. Et voilà, rien d'autre.

Betty-Anne insiste : rien ? Vraiment rien ? Même pas un nom ? Une ville ? Un petit bout de fil à remonter ? Non. Rien.

Betty-Anne se regarde plus que jamais dans les glaces à présent. Elle se regarde comme si elle ne s'était jamais vue. C'est qu'en réalité, elle ne se voit pas. Elle se questionne : Je ressemble à qui ? Qui m'a donné ces yeux bleus ? Ces sourcils, ce nez, ce menton, ces cheveux ? Comment peuvent-ils vivre sans me connaître ? Comment peuvent-ils être morts sans que je le sache ? Qui sont-ils ? et où sont-ils ? C'est une obsession. Betty-Anne ne tient même pas compte de la réaction de ses parents adoptifs. Ils ont de la peine, et elle leur en veut presque. Plus rien ne compte, elle veut savoir. C'est l'idée fixe. Ce grand trou dont elle est sortie un jour, à trois ans, est insupportable.

Betty, l'enfant abandonnée, toute malade de ses trois ans, et Anne, l'enfant recueillie, ne peuvent rien pour elles deux avec leurs dix-huit ans. Désespérés, M. et Mme Wisley s'adressent à un psychologue qui leur répond : « Laissez-la chercher, surtout ne l'en empêchez pas. »

Chercher, mais où ? Betty l'a déjà fait. Elle s'est présentée à l'association qui a permis son adoption, et la réponse a été catégorique : « Non. Aucun renseignement, jamais. D'ailleurs, il n'y a rien à savoir. »

C'est pour cela que Betty-Anne est malade de désespoir. Elle refuse de vivre en inconnue. Le choc a été trop grand. Plus tard c'est un psychiatre qui le dit : « Il faut qu'elle trouve, à ses risques et périls, mais qu'on lui donne un nom, un espoir, sinon, je ne réponds pas de son état mental. »

Le cas est rare, exceptionnel même. Et Betty-Anne ne se comporte pas comme la majorité des jeunes dans son cas; c'est pourquoi, munie d'une recommandation signée du médecin-chef de l'hôpital de la ville, Betty rencontre cette fois la directrice de l'association. Et elle entend la première phrase d'espoir depuis des années, sortie de la bouche ennuyée d'une femme sans âge.

« Nous pouvons faire une chose, exceptionnellement. Contacter la personne qui vous a amenée ici. A condition qu'elle existe toujours, et qu'elle n'ait pas changé d'Etat, ou même de ville, ce qui, au bout de vingt ans, serait une chance incroyable. Nous lui demanderons son avis. Elle seule peut décider d'accepter ou non de vous renseigner. »

Trois mois passent, lourds d'angoisse. Betty-Anne attend, et reçoit une gifle.

« Cette personne a dit non. Elle ne désire pas vous renseigner.

– C'est ma mère ? C'est elle, n'est-ce pas ? Vous avez retrouvé ma mère et elle ne veut pas me voir ? C'est normal, c'est elle qui m'a abandonnée, j'en suis sûre. Je vous en prie, dites-lui ceci : dites-lui que je me moque d'elle, et que c'est une sale femme. Je veux juste voir son visage, une fois. Une fois seulement. Je ne la veux pas, elle, je ne veux que la regarder. Après, ce sera fini. Proposez-lui de l'argent, si elle en a besoin. Dites-lui qu'elle pourra ne rien dire; je pourrai même la regarder de loin, sans l'approcher, sans qu'elle me voie; j'ai besoin de ça, mais de ça seulement, pas d'elle. Faites-le-lui comprendre. »

Est-ce bien sûr? Et pourquoi tant d'acharnement? Pour un visage seulement? Quelle est cette inquiétude traînée depuis l'enfance, qui pétrifie Betty-Anne devant une glace, face à sa propre image, comme devant une interrogation?

Et elle reçoit sa deuxième gifle.

« Elle dit toujours non. Nous ne pouvons rien faire de plus. Il est impossible de l'y obliger; et d'ailleurs, nous n'en avons pas le droit. Nous sommes désolés.

– Alors demandez-lui une photographie, quelque chose qui date du temps où je suis née, par exemple. Vingt ans plus tard, je ne la reconnaîtrai sûrement pas, et elle peut bien faire ça? Juste une photo, sans nom, sans rien, je vous en supplie. »

La troisième gifle et le troisième refus sont accompagnés cette fois d'une lettre tapée à la machine.

« Ne m'importunez pas. Je ne suis pas votre mère. Je ne suis rien. J'ai prévenu votre intermédiaire que je n'accepterai plus de répondre à ses lettres, désormais. »

C'est la gifle la plus terrible, la plus dure à avaler. Car ces trois lignes viennent bien de sa mère, Betty-Anne le sait. Sinon, pourquoi refuserait-elle de la rencontrer?

A force de supplications, Betty-Anne obtient une ultime chance. Elle écrira. Sa lettre sera transmise, sans commentaire, c'est tout. L'association refuse d'intervenir davantage. Elle a déjà fait plus qu'il n'était autorisé.

Betty-Anne écrit alors ce qui est son ultime chance :

« Madame. Je sais que vous êtes ma mère, sinon vous n'auriez pas si peur. Et je sais que vous êtes la pire des lâches, car si vous avez peur c'est que vous m'avez abandonnée, pour mener une vie qui vous convenait mieux, sûrement, et que vous avez peur de perdre. Je ne voulais que vous voir, vous ou mon père, mais il est inconnu. Vous voir, sans plus, comme on regarde quelqu'un dans un magazine. Vous voir pour connaître vos traits : nez, bouche, yeux, menton.

Depuis que je suis enfant, une image me poursuit. Je vois quelqu'un dans une glace; quelqu'un qui me regarde. C'est un rêve ou un cauchemar, je ne sais pas. Quand j'ai su que j'étais une enfant adoptée, j'ai tout de suite pensé à ma mère, la vraie, à vous, en quelque sorte. Ce visage qui me regarde dans une glace, ce doit être le vôtre, et j'ai besoin de m'en débarrasser. J'ai besoin de le voir vraiment pour m'en libérer. Montrez-le-moi, ne serait-ce qu'une fois, et ne craignez rien, je ne chercherai pas à vous revoir ensuite. Je ne vous connais pas, mais je vous déteste, de cela j'en suis sûre. »

Betty-Anne a attendu longtemps encore. Mais rien n'est venu. Elle a songé à toutes les solutions. Cambrioler le bureau de l'association, soudoyer une employée, n'importe quoi. Mais de dépression en idée fixe, sa raison vacillait. Le rêve, le cauchemar permanent qui l'attirait vers le reflet d'une autre dans une glace, était insupportable à vivre.

Betty-Anne avait vingt-sept ans quand elle a reçu la dernière lettre de l'association :

A Mlle Betty-Anne Wisley :

« La personne que vous cherchiez à contacter depuis 1961 nous a priés de vous faire parvenir ce document, sans autre explication. Nous croyons toutefois nécessaire de vous informer que cette personne est décédée, et que le document en question vous est adressé par une tierce personne, qui ne s'est pas fait connaître. Vous comprendrez qu'il ne soit pas possible de vous éclairer davantage. »

Betty-Anne a retiré de l'enveloppe une photo : une photo d'amateur, collée sur un carton de boîte de chocolat de douze centimètres de haut, neuf de large, et en noir et blanc.

Cette photo représentait une femme jeune, assise sur une chaise, tenant une enfant de trois ans environ, et se photographiant elle-même, dans la glace d'une armoire, avec son enfant, comme pour une ultime cérémonie, un abandon, peut-être.

Le visage était un peu flou, il ressemblait au rêve, ou au cauchemar, enfin terminé. Il en restait une photo, un petit bout de carton, tout bête, avec le visage d'une mère inconnue, anonyme, morte, et qui le resterait.

CE QU'IL FALLAIT DÉMONTRER

JULIEN n'a pas une tête d'ordinateur. Il a une tête de brave garçon. Avec le teint frais de ceux qui ont la chance de respirer l'air de la province. Et il n'a jamais vu un ordinateur de sa vie.

Il ne s'en porte pas plus mal, au contraire. Comme tout le monde, il sait bien vaguement ce qu'est un ordinateur : une machine compliquée qui fait des tas de choses électroniques, les notes de téléphone par exemple. Mais Julien n'a pas le téléphone. Alors que viendrait faire un ordinateur dans sa vie, cette drôle de chose ?

Pour l'heure, Julien est préoccupé d'une autre drôle de chose beaucoup plus importante et bien plus grave.

Il est dans une salle d'attente du palais de justice de la ville. Il a pris le car, puis le train pour venir jusque-là. Et il a mis son beau costume, le bleu des dimanches, avec une cravate.

Il a chaud, il est énervé et il guette une porte par où quelqu'un va entrer : Elle.

Elle, c'est Thérèse. Sa femme. Et Julien ne l'a pas revue depuis bien longtemps, et pour cause. Ils viennent tous les deux pour divorcer. C'est

Thérèse qui l'a voulu. Un mariage raté qui a duré cinq ans vaille que vaille jusqu'à une grande dispute, jusqu'au divorce. Et voilà.

Elle est là, elle entre. Un peu changée, un peu pâle. Elle ne regarde pas Julien. Il ne la regarde pas non plus. Mais tous les deux s'observent en coin. Le silence dure quelques minutes, puis la porte du juge des conciliations s'ouvre. Et un huissier morose appelle : « M. Julien Marquet, Mme Thérèse Marquet, s'il vous plaît. »

Trois quarts d'heure plus tard, il n'y a plus de M. et Mme Marquet. Ils ont dit non. Ils recevront un papier chacun. C'est fini.

Thérèse regagne son appartement en ville : mur d'un côté, béton de l'autre. Julien s'en retourne dans sa petite ville des bords de Loire.

Elle reprend son travail d'employée de bureau, drapée dans sa dignité de dame divorcée, la quarantaine. Il reprend son métier de plombier, célibataire à cinquante ans, pourquoi pas ?

Que dire de plus ? Mariés bêtement, divorcés bêtement, pour une broutille, une passade de Julien, à peine de quoi faire déborder le vase. En réalité, Julien ne sait plus très bien ce qui s'est passé. Mais de toute façon il est trop tard. Et c'est lui qui souffre le plus de ce célibat. Il ne voulait pas divorcer, lui, tout ce qu'on pouvait reprocher à Thérèse, c'était son mauvais caractère, mais Julien ne détestait pas cela. Elle n'avait pas toujours mauvais caractère, pas toujours, et même pas très souvent; enfin, pas plus que les autres femmes finalement.

Mais la pêche tout seul, la télévision tout seul, le dimanche tout seul, sans même une belle-mère, côté animation, ce n'est plus drôle du tout.

Les mois, un an, deux ans passent.

Qui dira la solitude épouvantable d'un œuf sur le plat? Qui dira la désolation d'une saucisse de Strasbourg sur une assiette, le drame d'une chaussette dépareillée, l'horreur d'une chemise sans boutons?

Pauvre Julien qui croyait que la solitude ça n'existe pas! Il donnerait sa dernière canne à pêche pour retrouver une femme, une qui serait comme ci, et comme ça... Ah! si l'on pouvait choisir!

Mais on peut choisir! On peut! Ce siècle a 1975 ans, l'âge de l'ordinateur! En effet, Julien constate avec intérêt que les agences matrimoniales ont évolué. Fini les rencontres l'œillet à la boutonnière... Fini les petites annonces timides dans les journaux les plus sérieux et les mieux informés, des publicités vantent les mérites du mariage en carte perforée!

« Vous êtes à la merci des rencontres de hasard, des attirances provisoires... L'ordinateur change tout cela. L'ordinateur réfléchit pour vous, et choisit pour vous! L'ordinateur se range à vos désirs! L'accord parfait passe par l'informatique! Demandez la notice gratuite, qui changera votre vie, et ne vous engage à rien. »

Comment peut-on changer sa vie en ne s'engageant à rien, mystère! Quoi qu'il en soit Julien demande la notice, qui ne l'engage à rien, puisque c'est l'ordinateur qui le dit. Il a réfléchi au problème. Lui aussi trouve ridicule de s'en remettre au hasard. Deux expériences malheureuses lui ont suffi.

A présent, il a cinquante ans, la vie est courte,

et comme le dit la notice, il n'a pas le droit de tolérer qu'elle soit médiocre!

La notice est pleine d'arguments :

« De nos jours, l'informatique est capable de réunir deux êtres que seules les circonstances de la vie séparent. Pourquoi attendre de le croiser dans la rue, cela n'arrivera peut-être jamais!

« L'ordinateur traite chaque jour des milliers de fiches d'hommes et de femmes de tous âges. Parmi ces milliers de fiches, il saura désigner celle qu'il vous faut. Remplissez le questionnaire ci-dessous, en mettant une croix dans chaque case. Ces renseignements codés pour l'ordinateur lui permettront de déterminer sans erreur possible le ou la partenaire idéale.

« L'ordinateur recherche les affinités, élimine les incompatibilités, confronte les psychologies. Avec lui le mariage n'est plus une loterie, mais le résultat d'une science exacte! »

Pour finir, la notice publie deux photos avec une légende :

« Elle, intelligente, raffinée, sûre d'elle... Lui, homme d'action, responsable, lucide... Absorbés par leurs affaires, prisonniers de leurs relations, sans l'ordinateur, ils ne se seraient jamais rencontrés! »

Ça vous donne un petit côté moderne, raisonnable, conscient des problèmes du couple, etc. Alors sérieusement, comme il fait toute chose, Julien fait des croix dans les petites cases.

Une croix pour la beauté, le caractère, la cuisine, le calme, la taille, les yeux, l'âge. Il trouve même une croix pour glisser sa pêche à la ligne — sous la rubrique sports de plein air.

Il y a des croix pour tout. Alors Julien met en croix la femme idéale. Ensuite, moyennant une somme confortable, il faut le dire, l'ordinateur avale goulûment sa demande rédigée en petites croix.

L'ordinateur hoquette, tremble, gronde, s'interroge, se contre-interroge, se suspecte, s'autocritique, et rejette enfin une carte avec un déclic de satisfaction.

Une carte. Pas deux, ni trois. Une. Julien a de la chance, car l'ordinateur ne se trompe jamais. Tous ces petits trous sur cette carte représentent la future femme de Julien. Et une semaine plus tard, Julien est convoqué à l'agence, on le fait asseoir dans un bureau, et on lui annonce que sa future femme, le produit de l'informatique, est là, derrière la porte...

On ouvre la porte...

Et Thérèse entre.

Elle avait fait la même demande, à la même agence sous son nom de jeune fille, et rempli les mêmes croix...

Cinq ans de mariage ça laisse des traces quand on s'aime. Et on sait bien pourquoi on s'aime. Et quand on s'aime on parle des mêmes choses.

Ça n'invente rien un ordinateur, surtout pas l'amour. Ça compte les petites croix, un ordinateur, c'est bête et discipliné un ordinateur, ça se contente d'analyser les petites croix, d'en faire des petits trous, et d'aller confronter les petits trous avec d'autres petits trous pour voir s'ils sont bien en face.

Alors Julien et Thérèse se sont remariés.

Quand le hasard s'en mêle à ce point-là, ordinateur ou pas, il faut lui faire confiance, C.Q.F.D.

VIEILLE DEMOISELLE PRÉSENTANT BIEN

TOUTE médaille a son revers, et il y a toujours un côté du mur à l'ombre. Autrement dit, rien n'est tout blanc, tout clair et tout propre chez l'humain moyen. Cela n'est pas une découverte. Mais tout de même, il y a des gens qui ont l'air tout blanc, ils en ont vraiment l'air. Comme cette vieille demoiselle au sourire indulgent et aux charmants yeux bleus.

Le 23 janvier 1957, elle a rendez-vous avec un médecin et attend sagement son tour dans le salon. Cinquante ans, les cheveux déjà gris, coupés court et sages. Une robe grise, elle aussi, des souliers à talons raisonnables et un sac de cuir noir assorti. Un petit gilet de laine, un foulard de soie mauve. Thérèse G... est une vieille demoiselle présentant bien. Voyons donc ce qui l'amène dans le cabinet d'un médecin, dont la plaque de cuivre porte le nom d'une spécialité inquiétante en certains cas : psychiatre diplômé.

Mlle Thérèse gardera l'anonymat au long de ce récit. Son visage est comme le reste, présentant bien. Les traits sont doux, le regard bienveillant. Elle semble avoir un grave problème à résoudre et l'expose au médecin avec simplicité.

« Je ne viens pas vous voir pour moi-même, j'ai besoin d'un conseil. Il s'agit de mon frère Pascal. Pascal a quarante-cinq ans, il est célibataire et je me suis toujours occupée de lui. C'est un garçon instable. Nos parents sont morts accidentellement lorsque j'avais dix ans et lui cinq. Nous avons vécu en orphelinat et, à ma majorité, je me suis chargée de lui. Il m'a toujours inquiétée. A l'école, c'était un enfant difficile. L'armée l'a réformé. Ensuite, j'ai tenté de lui faire apprendre un métier, mais il n'a pas de résistance nerveuse. Il abandonne tout. Il a fait plusieurs places : comptable, pompiste, magasinier ou représentant. Chaque fois qu'il a quitté un emploi, j'ai dû supporter de longues périodes d'inactivité. Il restait sans rien faire pendant des mois, des années même... C'est le cas en ce moment. Il y a deux ans qu'il est ainsi, et je travaille pour nous deux. Il dort le matin, il dort encore à midi quand je rentre, et, le reste du temps, il ne fait rien. Je n'ose plus lui parler, lui dire de faire un effort... Il s'en rend compte d'ailleurs, mais j'ai l'impression que, par moments, sa tête ne va pas bien. Il pleure ou se réfugie dans la colère. Les femmes qu'il a rencontrées ne se sont pas attachées à lui. Il dit qu'il est un minable, un bon à rien, qu'il préférerait se suicider. J'ai peur pour lui. Voilà. J'en ai parlé à notre médecin de famille qui m'a conseillé de venir vous voir. Il faudrait que vous l'examiniez. Mais, le seul problème, c'est qu'il ne voudra pas. Il dit lui-même que, s'il est fou, il préfère sauter par la fenêtre ! »

Le psychiatre a écouté silencieusement l'exposé de sa cliente. Il sourit :

« Il n'est certainement pas question de l'enfermer, mais je souhaiterais qu'il vienne de lui-même. C'est une démarche essentielle dans son cas. »

Mlle Thérèse est attristée.

« Je m'en doutais bien, mais il ne voudra jamais. »

Et Mlle Thérèse s'en va, nantie du conseil qu'elle était venue chercher : convaincre son frère de consulter le psychiatre.

Un long temps s'écoule, environ deux mois, avant que le psychiatre inscrive sur son carnet le nom de Pascal G...

L'homme a pris lui-même rendez-vous, et c'est lui qui attend dans le petit salon, seul. Même visage doux que sa sœur, mêmes yeux bleus. Là s'arrête la ressemblance. Les traits sont moins accusés, le maintien plus relâché et l'apparence générale un peu désordonnée.

Pascal contemple ses mains avec inquiétude. Ses ongles sont rongés, il a les cheveux à l'abandon, le dos légèrement voûté. Il est petit, très mince, alors que sa sœur est grande et bien charpentée. Il semble gêné de se trouver là, et il l'est, sans aucun doute, bien qu'il s'efforce d'aborder le médecin avec désinvolture.

En gros, il est conscient de son état. Mais de quel genre d'état s'agit-il? Instabilité, timidité, agressivité, faiblesse de caractère, ou plus grave? Pascal emploie tous ces mots-là, auxquels il ajoute, avec l'aisance d'un amateur, d'autres mots plus compliqués : paranoïaque, schizophrène et divers qualificatifs de ce genre. Il semble avoir beaucoup lu sur le sujet, un peu n'importe quoi, et n'importe comment. Et le médecin a beau lui conseiller de ne plus employer de termes aussi savants qui ne s'adaptent pas à son cas, Pascal sourit avec découragement.

« Je suis un anormal, je le sais. N'essayez pas de me rassurer. Ma sœur n'osait pas me parler de vous, elle avait peur que je prenne mal la chose, mais je m'en fiche. Je suis venu pour la rassurer, elle, pas moi. »

Après cette première consultation, Pascal se rend chez d'autres spécialistes. Parler de sa « folie » lui a fait du bien. Il continue et fait désormais partie de la triste cohorte des déprimés chroniques. Il se raccroche aux pilules qui donnent le sommeil, aux cures de sommeil qui donnent l'oubli, et un beau soir il échappe de justesse à l'oubli définitif.

Transporté à l'hôpital et réanimé péniblement, cette fois, il y restera pour un temps indéterminé, jusqu'à ce qu'il soit capable de vivre, plus ou moins. Et sa sœur a bien des soucis. Elle qui s'est donné tant de mal depuis des années pour soutenir son frère, pour l'obliger à travailler, à exister. Elle n'a pas de chance, et ses amis la plaignent du fond du cœur. Où est le revers de la médaille de Mlle Thérèse ? Où est le côté du mur à l'ombre ?

Pascal est enfermé, sa prison n'a pas de barreaux, il n'est pas fou furieux, il ne se révolte pas. Mais il réagit mal. Ses traits déjà mous semblent gommés. Les yeux creux sont inexpressifs. A chaque interrogatoire du médecin de l'hôpital, il oppose un mutisme décourageant, ou une rage démesurée. Sans perdre tout espoir de le sortir de là, le médecin a confié à Mlle Thérèse que le cas de son frère est complexe, il a peur que le traitement soit long...

Quelques semaines plus tard, au cours d'une visite de sa sœur, Pascal se montre soudain très agité, voire menaçant, et les infirmiers doivent intervenir. Mlle Thérèse espace ses visites. Il faut du calme aux malades. Et il ne retrouve son calme que dans la solitude.

Pascal est passé de la phase d'abrutissement à celle de l'agressivité. Il faut l'attacher pour l'examiner, lui faire des piqûres pour dormir. Il sombre peu à peu. Il va sombrer définitivement dans la folie, quand une porte s'ouvre dans sa nuit noire : le psychiatre du début, celui qui lui avait conseillé de ne pas se prendre pour un fou.

Cet homme traverse l'hôpital en parlant métier avec un de ses collègues. Sa visite est un hasard, et c'est par hasard aussi qu'il passe devant le lit de Pascal. Ce visage lui dit quelque chose, il se souvient, il y a un an à peine, cet homme était dans son cabinet, déprimé mais lucide, maigre mais vivant. En tout cas, pas fou. Il est impossible qu'il soit devenu cette loque, ce fantôme aux yeux creux, à la bouche pincée sur un rictus douloureux.

« Bonjour, monsieur, dit le médecin. Vous me reconnaissez ? »

Pascal ne sait plus qui est un monsieur et qui ne l'est pas. Il ne reconnaît personne. Il esquisse un petit signe de la main, lamentable et attristant. Puis il se détourne. Il ne comprend pas que l'on s'adresse à lui, il n'existe plus. Et le médecin reste songeur. A son collègue étonné qui l'interroge, il raconte la première visite de Pascal, celle de sa sœur, surtout...

Le lendemain, le médecin rappelle l'hôpital. Il a consulté ses notes sur la fiche de Pascal, pour être sûr. Or il n'y a aucun doute : rien ne laissait prévoir une telle évolution. A moins que... Son collègue sursaute.

Les deux médecins ont peur de leur idée. Peur de ce qu'ils pensent. Mais dans le doute il faut agir. La vie, l'existence d'un homme, est en jeu. Il n'est peut-être pas trop tard. Pourtant, avant d'accuser, il faut savoir.

Accuser qui? Mlle Thérèse? Savoir quoi? Savoir si elle a poussé son frère à la folie et à l'internement par voie de conséquence. Cette Mlle Thérèse, si dévouée, si bonne. Pascal est alors transporté dans une chambre et traité notamment à l'hypnose. Le seul moyen d'essayer de le faire parler. Et il parle, bien que ce qu'il dise n'ait apparemment aucun sens.

« Je ne veux pas qu'on vende la maison, je ne veux pas qu'on vende la maison. »

Lucide, il n'a jamais dit quoi que ce soit qui ressemble à cela. Or cette phrase est une idée fixe : « Je ne veux pas qu'on vende la maison... » Il a fallu quelque temps d'enquête discrète pour la comprendre. La maison, c'était celle des parents morts. Une belle maison, avec un jardin. Et Mlle Thérèse, cette bonne Mlle Thérèse voulait la vendre un bon prix. Une petite fortune même, à un promoteur qui rêvait d'immeuble de rapport...

Mais Pascal, l'orphelin, le recueilli, le terrorisé, le faible, ne voulait pas. Cette maison était pour lui le dernier refuge au monde, il ne voulait pas la vendre... Alors Mlle Thérèse, sa sœur bien-aimée, avait poursuivi le lent travail de sape entrepris depuis l'enfance.

Enfant, Pascal était toujours plus bête que les autres, plus incapable, moins intelligent, plus maladroit, sans caractère; du moins, sa sœur le lui disait. Et, au fur et à mesure que les années passaient, Mlle Thérèse enfonçait le clou plus profondément. Alors Pascal, être fragile et un peu faible, ne se mariait pas. Pascal changeait de métier, Pascal ne travaillait plus. Pascal était persuadé d'être un minable au cerveau sous-développé. Jusqu'au jour où elle voulut vendre la maison et où Pascal dit non.

Ce jour-là, Mlle Thérèse décida qu'il n'existerait plus. Le convaincre qu'il était réellement anormal ne lui prit qu'un an. Pascal fit le reste sans le savoir... Il n'avait gardé, au fond de lui-même, qu'une seule résistance : la maison des parents. Ne pas la vendre, c'était son idée fixe.

Mais le mal était si grand, déjà, qu'il avait oublié. Comment penser que sa sœur, toujours dévouée, si travailleuse, si efficace, si protectrice, le haïssait à ce point-là ? Pour accélérer sa chute, Mlle Thérèse lui avait dit :

« Je ne te laisserai pas, je ne t'abandonnerai jamais dans un asile. »

Suprême hypocrisie, qui n'avait fait qu'achever Pascal. Il en était presque devenu fou, et il était allé à l'asile de lui-même.

Et Mlle Thérèse s'apprêtait à vendre la maison, munie d'un certificat d'internement qui lui donnait tout pouvoir sur la part de son frère. Ce sont les médecins qui ont porté plainte. Pas lui. Car on n'oublie jamais tout à fait ce genre d'intoxication, même si on en guérit.

LE CRIME IMPOSSIBLE

CRIEFF est une petite ville écossaise de cinq mille habitants près de Perth. Les dépliants touristiques, en cette année 1928, vantent son climat particulièrement sain, sa rivière poissonneuse et ses jolies maisons du Moyen Age. Ils ne mentionnent que pour mémoire le château du XVe siècle détruit par Cromwell et reconstruit au XIXe, car le château des Roslin ne se visite pas. Il est habité présentement par le comte David Roslin, vingt-huitième du nom.

David Roslin, les habitants de Crieff ne le voient guère qu'une fois par an, lorsqu'il assiste à l'office de Pâques. Les autres dimanches, il va à la chapelle de son château. Grand, élégant, cheveux gris, portant sa soixantaine avec quelque froideur et un peu de morgue, le comte Roslin est fidèle à son personnage, à son rang et à ce que l'on attend de lui. N'appartient-il pas à l'une des plus anciennes familles d'Ecosse ?

Depuis 1911, date de la mort de sa femme Margaret emportée par une tuberculose aiguë, et après que son fils unique Andrew se fut marié et installé à Glasgow, il mène dans son château une vie d'ennui aristocratique, entouré d'une domesticité nombreuse. Il partage sa vie entre ses chiens et ses souvenirs en attendant d'aller rejoindre son épouse dans l'orgueilleux caveau de famille.

Aussi, on peut imaginer la surprise, l'incrédulité et l'émoi des habitants lorsqu'ils apprennent, le 14 février 1928, cette stupéfiante nouvelle : Le comte Roslin est mort, poignardé.

Il est sept heures du matin, le 14 février 1928. James, le majordome, pénètre dans le château. Ainsi que les autres domestiques, il ne loge pas dans le bâtiment principal, mais dans les communs, situés à l'écart dans le parc.

Comme tous les jours, sa première tâche consiste à aller réveiller son maître. Le majordome frappe quatre coups à la porte de la chambre. Pas de réponse. Dans ce cas, il a la consigne d'entrer quand même et d'aller jusqu'au lit du comte.

James ouvre les rideaux. La lumière pénètre dans la chambre. Il se retourne et met un moment à revenir de sa surprise : le lit est vide; il est fait, son maître ne s'est donc pas couché. Depuis vingt ans qu'il est à son service, c'est la première fois que cela arrive.

Un peu soucieux, le majordome descend au rez-de-chaussée. Le comte est sans doute resté dans son bureau où il a l'habitude de veiller, et il se sera assoupi.

Il frappe à la porte. Pas de réponse. Il tourne la poignée : pas de résultat. La porte est fermée. Cette fois, le domestique est franchement inquiet. Alors, il fait une chose qu'il ne s'est jamais permise : il place son œil face au trou de la serrure. Peine perdue, il ne peut rien voir, la clef est engagée à l'intérieur. C'est donc la preuve que le comte est bien dans son bureau. Et s'il ne répond pas, le pire est à craindre. Pris d'une impulsion soudaine, James sort dans le parc, contourne le bâtiment et essaie d'entrer par une des fenêtres. Là encore, peine perdue, les volets sont fermés de l'intérieur.

Alors, le majordome décroche le téléphone et appelle le lieutenant Mac Giry de la police de Crieff. Accompagné de plusieurs de ses hommes, celui-ci est sur place en moins de dix minutes. Le médecin de famille, prévenu lui aussi, est déjà là.

James expose brièvement les faits au policier : son maître est enfermé dans son bureau et ne répond pas. Le lieutenant Mac Giry prend immédiatement la seule décision qui s'impose : enfoncer la porte. Il faut chercher un madrier pour en venir à bout, et elle ne cède qu'après dix minutes d'efforts.

C'est alors un triple cri, poussé à la fois par le lieutenant, le majordome et le médecin : le comte David Roslin, vingt-huitième du nom, est étendu sur le tapis, baignant dans son sang. A ses côtés, un coupe-papier effilé.

Le médecin a vite fait d'établir son diagnostic :

« Il est mort depuis plusieurs heures. Il a reçu un coup mortel en plein cœur et deux autres dans le dos et le cou. »

Le lieutenant pousse un énorme soupir. Le meurtre du châtelain est ce qui pouvait lui arriver de pire. S'il ne met pas rapidement la main sur l'assassin, il peut dire adieu à toute idée d'avancement. Mais aussitôt il s'arrête dans ses pensées. Un crime n'est pas possible, la porte était fermée et la clef engagée dans la serrure. Il s'approche des fenêtres. Les volets, des volets en fer particulièrement solides, sont eux aussi verrouillés. Ils ne portent pas la moindre trace d'effraction. Il interroge le majordome :

« Existe-t-il une autre porte donnant dans le bureau ? – Non, absolument pas. – A votre connaissance, il n'y a pas de passage secret ? – Non, monsieur, et je suis au château depuis vingt ans. »

Le lieutenant conclut alors avec gravité :

« Il n'y a pas de doute : le comte Roslin s'est suicidé. »

Tandis que son corps est emmené à la morgue pour autopsie et qu'on fait prévenir le fils du défunt, le lieutenant Mac Giry entreprend l'interrogatoire du personnel en commençant par James, le majordome.

« Votre maître paraissait-il déprimé ces derniers temps ? – Non, monsieur. – Que vous a-t-il dit hier soir ? – Je lui ai porté son infusion dans son bureau, comme d'habitude. Il m'a dit bonsoir, et je suis allé me coucher. – Quelle heure était-il ? – Dix heures, monsieur, c'était l'heure habituelle. »

A leur tour, les femmes de chambre, le cuisinier, le jardinier et le garde-chasse confirment les propos du majordome. M. le comte ne leur a jamais semblé déprimé. Il avait l'air de se porter aussi bien que possible.

Pour le lieutenant, l'enquête est presque terminée, mais non ses soucis. Il doit annoncer à Andrew Roslin le décès de son père. Andrew, qui vient d'arriver en toute hâte au château en compagnie de sa femme, est un homme de trente-cinq ans environ, blond aux yeux bleus, l'air aussi aristocratique que son père. Le lieutenant emploie tous les ménagements possibles pour présenter la nouvelle. Un suicide dans la haute société, c'est une sorte de scandale. Andrew Roslin, qui avait accueilli l'annonce de la mort de son père en silence, réagit immédiatement au mot de suicide.

« Les Roslin ne se suicident pas, commissaire.
– C'est pourtant la vérité, monsieur le comte. Croyez en toute ma sympathie. – Quand auront lieu les obsèques ? – Dès que le médecin légiste aura fait le nécessaire. C'est-à-dire dès demain, j'espère. »

Et le lieutenant Mac Giry quitte le château avec un réel soulagement. Il ne s'est pas trop mal sorti de sa délicate mission. En tout cas, dès le rapport du médecin, il classera l'affaire.

Le médecin se présente le lendemain comme promis à son bureau. Et c'est alors qu'a lieu le coup de théâtre, que toute la construction du lieutenant s'écroule pour faire place à un énorme, à un invraisemblable point d'interrogation.

Edward Smith, médecin légiste, est un petit homme chétif, portant des lunettes de myope aux verres épais. Il parle pourtant avec assurance :

« Il ne peut s'agir d'un suicide, lieutenant. »

Le lieutenant ne réagit même pas devant cette énormité. Il ne peut pas y croire. Cela n'a aucun sens. Le praticien continue avec netteté :

« Voyez-vous, le coup au cœur a pu, à la rigueur, être porté par la victime elle-même. Il a d'ailleurs provoqué instantanément la mort. Mais le corps présente deux autres blessures : une derrière le cou, l'autre dans le dos, du côté droit. Je suis formel. Il n'est pas possible de se frapper soi-même à ces endroits avec une telle force. Le coup de poignard dans le dos a même atteint le poumon droit. Le comte Roslin a été frappé par un agresseur. »

pu se jeter à reculons sur le coupe-papier, s'empaler, en quelque sorte, avant de le reprendre et de se poignarder au cœur. Mais, pour cela, il aurait fallu qu'il puisse coincer l'arme d'une manière ou d'une autre. Or rien dans la pièce ne se prête à ce genre de tentative. Les murs sont nus, il n'y a qu'un bureau et une chaise. Le sol est recouvert de tapis épais. Nulle part il n'est possible de coincer le coupe-papier pour qu'il pénètre avec tant de force dans le corps.

Les obsèques du comte David Roslin, vingt-huitième du nom, ont lieu dans l'effervescence. Car la presse s'est emparée de l'affaire et relate l'incroyable mystère. Un homme trouvé mort dans une pièce hermétiquement close, fermée de l'intérieur, et qui pourtant a été tué par une main étrangère.

Les mois passent. Pour la centième fois, harcelé par la presse et par ses chefs, le lieutenant Mac Giry reprend les éléments de son enquête qui est toujours au point mort. Pour la centième fois, il se pose cette question angoissée : « Mais que s'est-il passé ? »

C'est alors qu'en dépouillant son courrier il a la surprise de trouver une lettre étrange :

Lieutenant,

Je me nomme William Pinker. Je suis détective privé à Londres. J'ai lu les détails de l'affaire Roslin dans les journaux et je suis arrivé à la conclusion qu'il y avait une solution possible, une seule. Je m'appuie uniquement sur les résultats de votre enquête et je suppose qu'ils sont exacts. Voulez-vous que je vienne vous voir ? Je serais heureux de vous exposer mes déductions.

Le lieutenant Mac Giry est totalement désemparé. Il s'adresse à son interlocuteur comme s'il cherchait en lui un soutien.

« Mais enfin, l'enquête a prouvé que le meurtre était impossible. »

Le médecin légiste répond d'un ton impassible.

« Je regrette, mes conclusions établissent que le suicide est impossible. Voici mon rapport, lieutenant. Faites faire une contre-expertise si vous voulez. Mais je suis sûr que tous mes collègues aboutiront au même résultat. »

Le lieutenant se retrouve seul dans son bureau. C'est fou, c'est inimaginable. Il est entré lui-même dans le bureau, la porte était fermée à clef et les volets verrouillés. Admettons que le comte ait ouvert à son agresseur, dans ce cas, il n'aurait pu refermer la porte à clef puisque le coup au cœur était immédiatement mortel. Or la clef était bien dans la serrure quand il a enfoncé la porte. Donc le meurtre est impossible.

D'autre part, le professeur Smith affirme que le comte n'a pu se frapper lui-même au dos et au cou. Donc ce n'est pas un suicide non plus. Mais alors, que s'est-il passé ? Un détail revient d'ailleurs à la mémoire du lieutenant : le coupe-papier, arme du crime, ne portait aucun empreinte, ni celle du comte Roslin ni aucur autre.

Totalement décontenancé, le lieutenant M Giry retourne au château. Avec l'aide de ses h mes, il sonde les parois du bureau à la reche d'une issue secrète. Il explore le plancher, l fond. Il n'y a pas de porte cachée, pas de t Alors, le lieutenant imagine une autre hyp Toujours dans le cas du suicide, le comt

Le lieutenant Mac Giry répond par retour du courrier à ce William Pinker en lui donnant un rendez-vous. Au point où il en est, qu'a-t-il à perdre ?

Quelques jours plus tard, William Pinker est en face de lui, dans son bureau. C'est un petit homme très brun, d'une trentaine d'années. Le lieutenant considère son visiteur avec un certain scepticisme. Il a l'air modeste, presque effacé. N'attendant pas grand-chose de lui, l'officier de police lui demande brutalement :

« Alors c'est un meurtre ou un suicide ? »

Le petit détective a un sourire ambigu :

« Un peu les deux. David Roslin a reçu un visiteur cette nuit-là. C'est lui-même qui lui a ouvert et l'a introduit dans son bureau. »

Le lieutenant manifeste quelque agacement :

« J'y avais pensé, moi aussi. Mais comment a-t-il refermé la porte après son départ puisqu'il a reçu un coup au cœur instantanément mortel ? »

Le petit homme fait un geste d'apaisement :

« Laissez-moi poursuivre, s'il vous plaît. Dans le bureau, les deux hommes – car je pense que l'agresseur était un homme – ont eu une explication qui s'est envenimée. A un moment donné, le comte a tourné le dos à son visiteur. Celui-ci a vu le coupe-papier sur le bureau. Il a été pris d'une brusque impulsion, il a frappé deux fois, au cou et dans le dos, et il s'est enfui. – Mais le coup au cœur ? – Attendez ! Le comte a laissé partir son agresseur. Ses blessures étaient graves, mais non mortelles. Il a d'abord fermé la porte de son bureau à clef. Ensuite, il a effacé les empreintes sur le coupe-papier et, en le tenant entre les plis de sa robe de chambre, il s'est frappé au cœur. »

Le lieutenant est abasourdi.

« Evidemment, cela concorde sur le plan des faits, mais, psychologiquement, c'est absurde. Pourquoi le comte Roslin se serait-il suicidé après avoir été attaqué ? »

Le détective privé s'attendait visiblement à cette question.

« Il y a deux explications possibles. La première : il voulait maquiller cette agression en suicide afin que son visiteur ne soit pas inquiété. La seconde : il a voulu réellement se suicider, vraisemblablement par remords. Mais, si vous voulez mon avis, je pense que c'étaient les deux raisons à la fois. »

Cette fois, le lieutenant Mac Giry est suspendu aux lèvres de son interlocuteur.

« Mais pourquoi aurait-il commis un acte aussi extraordinaire ?

– Tout dépend de la personnalité de son visiteur et du motif de sa venue. Supposez que ce soit quelqu'un de très proche, son fils Andrew, par exemple. Et supposez qu'Andrew ait demandé cette entrevue à son père parce qu'il avait découvert quelque chose le concernant, quelque chose de très grave. »

Le lieutenant ne dit plus rien. Il commence, lui aussi, à entrevoir la vérité.

« Je ne vous fais pas de reproche, lieutenant, mais vous n'avez pas enquêté sur la mort de Margaret Roslin, la femme du comte. J'ai fait moi-même quelques recherches à ce sujet. Elle est décédée en 1911 d'une tuberculose qui l'a emportée en trois mois. Ce qui est curieux, c'est qu'elle n'avait jamais eu auparavant de manifestation de cette maladie. Supposez que sa mort n'ait pas été naturelle, pour parler clairement, que son mari l'ait empoisonnée. Et pourquoi l'aurait-il fait, sinon parce qu'il avait découvert que Margaret le trompait et même que son fils n'était pas de lui ? »

William Pinker fixe le lieutenant bien dans les yeux.

« Maintenant, nous sommes en 1928. Andrew vient d'apprendre qu'il n'est pas le fils de son père et que celui-ci a tué sa mère. Il lui demande une entrevue et lui dit qu'il sait tout. Vous imaginez la discussion entre les deux hommes. A un moment donné, Andrew, fou de rage, frappe par deux fois. Alors David Roslin, pour éviter le scandale, et aussi sans doute pour se punir, décide de se suicider. »

Il y a un long silence dans le bureau du lieutenant. Après avoir réfléchi intensément, celui-ci demande au détective privé :

« Comment se fait-il qu'Andrew ait appris la vérité dix-sept ans après ? – Il y a plusieurs explications possibles : une lettre anonyme peut-être assortie d'une menace de chantage, provenant – pourquoi pas ? – du père véritable, un vieux domestique se mettant à parler en sentant sa fin prochaine. Mais j'ai une autre explication qui me plaît beaucoup parce qu'elle est, comment dirais-je ? plus romanesque. A son mariage, Andrew a quitté le château pour s'établir dans un hôtel particulier à Glasgow. Il a emporté certains des meubles familiaux. Admettons que, parmi ceux-ci, ait figuré le secrétaire de sa mère. Récemment, lui ou sa femme découvre par hasard le tiroir secret et, à l'intérieur, le journal intime de Margaret Roslin. Elle y raconte tout : sa liaison, les soupçons de son mari et ses propres soupçons à elle. Elle acquiert la certitude qu'il l'empoisonne, elle le dit dans son journal, mais elle se tait. Elle accepte cette mort lente comme le châtiment de sa faute. »

Le détective privé a terminé. Le lieutenant Mac Giry hoche la tête.

« Ce doit être cela. Ce ne peut être que cela. »

William Pinker se lève.

« Qu'allez-vous faire, maintenant ? – Rien, il n'y a aucune preuve. Je vais classer l'enquête, d'ailleurs, je vais l'annoncer tout de suite à Andrew Roslin. »

Un peu plus tard, le lieutenant Mac Giry est introduit au château. Le vingt-neuvième comte du nom l'accueille au bras de sa femme avec la politesse distante des Roslin.

« Des nouvelles, lieutenant ? – Oui, de bonnes nouvelles, monsieur le comte. Je viens vous annoncer que nous avons décidé de classer cette triste affaire. »

Andrew ne répond rien. Il se contente de hocher la tête. Après un échange de banalités, il raccompagne courtoisement son visiteur jusqu'au perron. Juste au moment de le quitter, le lieutenant Mac Giry lui demande du ton le plus naturel :

« Parmi les meubles que vous avez emportés à Glasgow, il y avait bien le secrétaire de votre mère, n'est-ce pas ? »

Une lueur passe dans les yeux bleus du comte, une lueur de surprise, d'inquiétude, peut-être. Mais il reprend bien vite son masque de politesse glacée :

« Oui, mais j'avoue ne pas saisir. »

Malgré lui, le lieutenant Mac Giry se met à sourire, et il répond en tendant la main à son interlocuteur :

« Vous avez raison, monsieur le comte, cela n'a aucune importance. »

DES YEUX VOUS OBSERVENT

MADAME MILLER est infirme depuis dix ans. Elle a été paralysée et rendue muette par un terrible accident de voiture dans lequel elle a perdu son mari. Son fils et sa belle-fille vivent depuis toujours chez elle. Mais à soixante-dix ans, elle est une charge pour eux, et elle le sait. On ne peut ignorer les soupirs, les exaspérations à peine retenues, et les efforts mal consentis d'une belle-fille. Car si la langue est morte et le corps aussi, le cerveau reste lucide et les yeux sont le seul moyen d'existence dont dispose Mme Miller. Elle cligne des yeux, une fois pour OUI, deux fois pour NON, lorsqu'il est nécessaire de répondre, et le reste du temps elle clôt les yeux sur sa misère. Comme chaque matin, son fils Jean l'embrasse avant de partir. Il est son seul bonheur. Il ne rentrera que le soir.

Avant de sortir faire ses courses, Véra, sa belle-fille, a amené le fauteuil de l'infirme sur la véranda. La vieille dame reste seule. Elle écoute et elle regarde, sorte de statue immobile, qui ne vivrait que de la vie des autres.

Soudain, des bruits de porte! Mme Miller est aux aguets.

Véra ? Non, elle serait déjà là. Encore des bruits de portes... Qui est là ? Qui ? Impotente, la pauvre femme est à la merci du premier cambrioleur venu. Oreilles tendues, yeux écarquillés, elle écoute et surtout elle voit, mal, mais elle voit.

Véra est dans la cuisine, Mme Miller l'aperçoit par la fenêtre. Et il y a un homme avec elle. Et l'homme dit :

« Tu n'as pas peur de la vieille ? »

Le rire de Véra a une sonorité étrange, inhabituelle :

« La vieille ? Elle ne peut rien, même si elle entend. Allez, raconte ton plan, j'ai hâte d'être veuve et libre de t'épouser. Je veux devenir Mme Schmid ! »

La vieille Mme Miller n'est plus qu'une immense oreille. Elle entend tout, elle comprend tout. Ces deux-là sont amants, et ils vont tuer son fils, elle aussi peut-être. Mais Véra prétend la garder comme alibi. Cette épave lui donnera le beau rôle après le crime, dit-elle. Mais quel est le crime ? Il est simple. Le chauffe-eau de la salle de bain du premier étage est en panne, et c'est un vieux modèle. Le réparateur se fait donc attendre. Il suffira d'ouvrir le gaz cette nuit, pour faire croire à un accident. Véra et la vieille dame dormiront ensemble au rez-de-chaussée. Au matin, Jean sera mort et Véra libre de filer avec son amant, dès que la police aura conclu à l'accident. Véra n'aura plus qu'à abandonner la vieille femme muette dans un hospice, et elle deviendra Mme Schmid.

Mme Miller espère que sa belle-fille croira qu'elle n'a rien entendu. Elle tremble intérieurement. Chacun de ses membres paralysés est douloureux. Peur, angoisse, colère, impuissance, tout se mêle.

Véra apparaît devant sa belle-mère. Son visage a changé, et le ton est agressif :

« Vous m'avez entendue rentrer ? »

Mme Miller dit oui avec ses yeux, elle ne peut faire autrement. L'autre ne la croirait pas.

« Vous m'avez entendue parler à quelqu'un ? »

Mme Miller dit non avec ses yeux, qu'elle garde ensuite ouverts et fixes, comme sur un étonnement. Véra hausse les épaules et disparaît.

La journée passe. Epouvantable pour la vieille dame qui guette le retour de son fils avec angoisse. Comment lui faire comprendre qu'il est en danger ? D'autant plus que sa belle-fille la surveille, en permanence. Or, le voici qui rentre, il est tranquille comme d'habitude.

Bien que sa mère soit une réelle charge pour lui, il invente des bricolages ingénieux pour qu'elle ne soit pas trop abandonnée. Il ne lui reste que les yeux; au moins peut-elle lire, à condition qu'on l'aide un peu.

Justement, Mme Miller darde sur son fils un regard implorant, bien que Véra la surveille. Jean, pourtant, s'en inquiète gentiment.

« Tu veux quelque chose, maman ? »

OUI, répond-elle, et le désespoir l'envahit, car son fils va chercher des choses pratiques, comme d'habitude. Comment pourrait-il se douter ? Il est à cent lieues d'imaginer que sa mère voudrait lui dire : « Véra va te tuer cette nuit avec le gaz. »

Une telle idée ne peut même pas l'effleurer, et l'autre qui lui fait des grâces, des câlineries, et qui fait mine de l'aider, qui dit à voix haute en minaudant :

« Je sais ce qu'elle veut, ta mère, elle veut

dîner ! C'est une grande gourmande ! N'est-ce pas que vous voulez dîner ? » Et plus bas : « Arrêtez votre cirque, ou vous y passerez aussi. Finalement, vous ne servez à rien. »

Donc, elle a compris. Donc, elle sait que sa belle-mère sait.

Ils sont à table tous les trois à présent. C'est Véra qui fait manger la vieille dame à la petite cuillère, pour mieux la surveiller, tandis que son fils lit le journal.

Soudain, une idée traverse la tête de la vieille dame. Si elle pouvait construire des phrases en se servant de lettres ! Si Jean acceptait le jeu ! Si elle pouvait lui montrer une lettre après l'autre ?

Mme Miller se met à tousser pour attirer l'attention de son fils. Jean la regarde avec un léger agacement :

« Voyons, tu veux que je te lise le journal, c'est ça ? Il n'y a rien d'intéressant, tu sais, de la politique, des histoires de hold-up, tiens, on va augmenter les impôts ! »

Mme Miller fait non des yeux, mais continue à fixer le journal avec une expression désespérée... Elle a déjà joué à ce jeu avec son fils, deux ou trois fois, pour des choses graves, lorsqu'il a eu besoin, par exemple, de savoir où elle avait mal avant d'appeler le médecin. Alors, cette fois, Jean croit comprendre :

« Maman, attends, tu vas m'expliquer, on va se comprendre, n'aie pas peur, c'est le cœur ? Tu as mal au cœur ? »

NON, NON, répond sa mère avec les yeux.

« Tu respires mal, hein ? »

NON, NON, répètent les paupières fatiguées.

Elle a été trop loin dans sa volonté de paraître malade, il ne songe plus au petit jeu de lettres, il s'affole trop, il veut aller vite. Il appelle le médecin !

Désespérément, elle fait NON des yeux... NON... et NON...

« Tu ne veux pas que j'appelle le médecin, maman ? »

NON, font les yeux de la pauvre femme qui pleure d'angoisse.

« Mais tu n'es pas malade ! Alors qu'est-ce qu'il y a ? »

Mme Miller regarde sa belle-fille avec insistance, elle essaie d'avoir l'air en colère, mais elle ne réussit qu'à pleurer. Ah ! c'est difficile, et Véra gagne une fois de plus la partie, car son imagination est diabolique. Elle invente au quart de tour :

« C'est de ma faute, dit-elle à son mari, je lui ai dit que j'attendais un enfant. Mais je ne voulais pas t'en parler avant d'être sûre. Elle est tellement contente, elle voulait te le dire quand même. »

Et Véra tamponne vivement les yeux de la vieille dame pour qu'elle ne dise pas NON, mais c'est inutile. Jean ne songe même plus à sa mère, il voulait tant un enfant ! Et Véra ne voulait pas ! Véra qui a l'air souriant des femmes comblées, dit à son mari :

« Je vais coucher ta mère, attends-moi, je reviens, nous serons tranquilles. Quand il y aura le bébé, il faudra trouver une solution pour elle. Tu me le promets ? »

Bien sûr, Jean promet. Sa mère ira à l'hospice. Il ne fait plus attention à elle, il ne se préoccupe pas de savoir si elle a entendu ou non. Il admet vaguement dans son esprit que la préoccupation de sa mère, c'était ce bébé qui va détourner d'elle l'attention de son fils et de sa belle-fille. Jean ne peut imaginer la haine de sa femme une seconde, il n'en éprouve pour personne, lui. Il est juste un peu stupide.

Véra couche la vieille dame qui lui jette des regards désespérés, cherchant vainement à l'attendrir.

Cette nuit, quand Jean dormira, Véra reviendra se coucher auprès de sa belle-mère. Ce sera son alibi : elle soigne la vieille dame malade, c'est logique. Sa chambre, en effet, est très éloignée de la salle de bain, et Véra laisse une fenêtre ouverte sous le prétexte que la vieille dame étouffe la nuit. Cela expliquera qu'elles soient vivantes toutes les deux et que Jean, censé dormir seul, soit mort seul, d'autant plus qu'il aura avalé un somnifère pour dormir. Et même si l'autopsie révélait le médicament, Véra n'aurait qu'à dire la vérité. Jean en prend de temps en temps. Il a même une ordonnance du médecin.

A présent, elle n'a plus qu'à attendre qu'il s'endorme. Avec l'alcool, cela ne devrait pas tarder. Effectivement, en pleine démonstration de tendresse, Jean s'endort dans les bras de Véra, et bientôt il ronfle. Il est minuit, il est temps d'aller ouvrir le gaz.

Véra tourne le robinet du chauffe-eau, puis revient un instant, contemple son mari endormi, et s'éloigne en réfléchissant : au fond, si elle se débarrassait aussi de sa belle-mère? Non, elle ne peut pas, pour son alibi. Il faut qu'elle se couche à côté de la vieille dame et qu'elle surveille si les émanations ne viennent pas jusque-là. Demain, elle fera semblant de pleurer devant Police secours... Elle sera la pauvre femme dévouée qui dort avec sa belle-mère paralysée et muette, pour mieux la surveiller, et dont le mari vient de mourir d'une fuite de gaz. De quoi faire pleurer tous les lecteurs du journal du soir. De quoi faire dire aux voisins : « Vraiment le malheur s'acharne toujours sur les mêmes. »

L'aube se lève sur le pavillon. La vieille dame n'a pas fermé l'œil de la nuit, angoissée, désespérée de ne rien pouvoir faire. Jean doit être mort maintenant, et depuis longtemps. Si son fils est mort à quelques pas d'elle, c'est une épreuve horrible, insupportable, qui lui a fait vaciller le cœur cent fois dans la nuit, mais elle a tenu bon. Il faut qu'elle trouve un moyen d'accuser sa belle-fille, quitte à en mourir, elle y parviendra.

Le matin est venu. Véra a même fait semblant de hurler. Pour les voisins, elle a appelé Police secours. On a emporté le corps de Jean. Il ne reste plus dans la maison que la vieille dame, sa belle-fille et un policier. Il fait son métier, il interroge, pour rendre son rapport :

« Vous dormez toujours avec votre belle-mère ?

– Oui, chaque fois qu'elle est fatiguée. En tout cas, c'était le cas hier soir... »

La vieille dame voudrait tellement que le policier l'interroge. A chaque question elle s'efforce de cligner les yeux : NON... NON... dit-elle, NON ! Quand Véra affirme qu'elle dormait profondément, de même que sa belle-mère, elle cligne des yeux à s'en faire mal. Et Véra qui s'en aperçoit tente de faire diversion.

« Ma belle-mère n'a pas toutes ses facultés, et elle est choquée par la mort de son fils, ne faites pas attention.

– Elle ne parle pas du tout, n'est-ce pas ?

– Non. »

OUI... OUI... fait la vieille dame désespérément... mais lentement cette fois, pour qu'il ne la croie pas folle.

Le policier paraît intrigué :

« Pourquoi cligne-t-elle des yeux? Elle veut vous dire quelque chose ? »

Véra s'effondre dans un fauteuil, pour attirer l'attention du policier sur elle, et répond :

« Non, c'est un tic nerveux, ne faites pas attention. »

Mais la vieille dame fait NON des yeux, et le policier, intéressé, croit comprendre.

« Vous dites OUI et NON avec les yeux? C'est ça ? ça, c'est OUI ? J'ai compris. Faites-moi NON, à présent. »

Le policier ne prête plus attention à Véra, il refait les mimiques avec les yeux, lentement, et paraît ravi lorsque la vieille dame les refait avec un pauvre sourire. Alors, il questionne maintenant :

« Avez-vous senti le gaz?

– OUI...

– Et votre belle-fille?

– OUI...

– Comment, OUI ? Elle dormait.

– NON. NON. »

Mme Miller a fermé les yeux deux fois avec une telle force, une telle insistance que, cette fois, c'est terminé. Le policier a compris. Et Véra a beau tenter une diversion, il la renvoie sèchement à son fauteuil.

Mme Miller aura du mal ensuite à compléter son histoire. Le policier se servira des lettres d'un jeu pour l'aider à former des mots. Ce sera la plus étrange déposition du monde.

Une déposition très, très longue, mais qui se

résumera en quelques mots : *Véra. Amant. Schmid. Meurtre. Jean.*

Jean est mort heureux, lui, et sans rien savoir, il se croyait le père d'un bébé surprise.

Sa mère portera, seule dans sa mort immobile, l'horreur d'un crime qu'elle n'aura pas pu empêcher.

LE PETIT HOMME EN IMPERMÉABLE

MADAME MICHAUX est derrière ses rideaux, en cette belle matinée d'avril 1967. Cela n'a d'ailleurs rien d'étonnant. Mme Michaux passe le plus clair de son temps derrière ses rideaux à regarder ce qui se passe dans la rue. Quand on est veuve, sans enfant, et qu'on habite une petite ville de province, que peut-on faire sinon étudier ses voisins ?

Les habitants du pavillon d'en face s'appellent les Carloni. Mme Michaux les connaît bien, de vue, surtout...

Lui, Jacques Carloni, est industriel. C'est même l'un des plus importants de la ville. Mme Michaux partage à son sujet l'avis général : personne, dans la ville, n'aime Jacques Carloni. Son arrogance, sa brutalité, lui ont aliéné les sympathies. De plus, tous les week-ends, ou presque, il part au volant de sa puissante voiture pour la capitale. Des clients, des voyages d'affaires, dit-il à son entourage. En fait, nul ne doute que Jacque Carloni entretienne une maîtresse à Paris.

A ses côtés, Henriette Carloni fait figure de victime. Mme Michaux la plaint de tout son cœur. Comment fait-elle pour supporter son sort ?

qu'est-ce qui la retient auprès de son mari? d'autant qu'ils n'ont pas d'enfant. Faut-il qu'elle ait le sens du devoir!

Or, ce dimanche matin d'avril 1967, Mme Michaux est en train de vivre un événement extraordinaire. Tout à l'heure, M. Carloni est sorti, au volant de sa puissante voiture, pour son week-end à Paris. Mais un taxi vient de s'arrêter devant le pavillon de l'industriel. Un petit homme en sort. Mme Michaux est sûre de ne l'avoir jamais vu. Que vient-il faire, alors que Mme Carloni est seule chez elle? Et pourquoi a-t-il une valise à la main?

Mme Michaux n'est pas au bout de ses surprises. Le petit homme à l'air de se comporter comme s'il était chez lui. Elle retient son souffle. Mais ce n'est pas possible! Il a la clef!

En décrochant son téléphone, Mme Michaux se répète encore incrédule : « Mme Carloni a un amant! »

Six mois plus tard, en octobre 1967, le mystérieux petit homme en imperméable fait sa troisième apparition au domicile de Mme Carloni. Il est déjà venu à deux reprises, profitant du départ du mari. A chaque fois, il est arrivé en taxi, il est entré avec sa clef et il est resté tout le week-end.

Derrière ses rideaux, Mme Michaux n'a pas perdu une miette de l'aventure. Pendant ses séjours, le visiteur n'est pas sorti du pavillon. Seule Mme Carloni s'est absentée deux ou trois fois pour faire des courses.

Grâce aux soins de Mme Michaux, tout le quartier est évidemment au courant. L'instant de réprobation passé, tout le monde se déclare enchanté pour Mme Carloni; elle a mille fois raison de rendre la pareille à son mari. Mais il faut dire que personne ne s'attendait à une semblable audace de sa part !

Pourtant, ce 25 octobre 1967, c'est tout différent. Mme Michaux n'en croit pas ses yeux... Il n'est pas loin de six heures du soir, la nuit n'est pas tout à fait tombée. Tout à l'heure, il y a dix minutes environ, Mme Carloni est sortie de chez elle pour faire des courses. Et voici qu'il arrive. Mme Michaux observe de tous ses yeux : aucun doute n'est possible. C'est lui, c'est le petit homme à l'imperméable. Or, cette fois, Jacques Carloni, le mari, est chez lui. Mme Michaux en est absolument sûre.

Mme Michaux suit chacun des mouvements de l'homme. Il a la même démarche assurée que les autres fois. Il est vraisemblablement inconscient. Est-ce qu'il va sortir sa clef ? Non, il sonne... Quelques secondes s'écoulent. La suite va très vite. M. Carloni ouvre. L'homme à l'imperméable sort quelque chose de sa poche. Il y a deux détonations. Mme Michaux voit l'industriel s'écrouler et, avant même qu'elle ne soit revenue de sa surprise, le visiteur a disparu.

Toute tremblante, Mme Michaux se précipite vers son téléphone. Elle avait beau s'attendre à un drame et même, secrètement, l'espérer, elle est bouleversée.

Quelques minutes plus tard, le commissaire du quartier est sur les lieux. Il murmure en considérant le corps :

« Deux balles en plein cœur. C'est net et sans bavure. »

Mme Michaux est partagée entre l'excitation et la terreur. Elle répond d'une voix blanche à ses questions.

« Vous dites que c'est l'amant de Mme Carloni

qui a fait le coup ? – Oui, il était déjà venu trois fois en l'absence de M. Carloni. J'en suis sûre. J'étais par hasard à ma fenêtre – Pourriez-vous me le décrire ? »

Mme Michaux rassemble ses souvenirs.

« Brun, de petite taille. Il était toujours vêtu d'un imperméable. Il pouvait avoir quarante, cinquante ans. C'est difficile à dire. Je l'ai toujours vu de loin. »

Le commissaire et la voisine se retournent en même temps. Mme Carloni vient d'arriver. Elle se jette à genoux auprès du corps de son mari. Elle reste muette un long moment. A la fin elle murmure :

« Michel... C'est donc cela ! »

Le commissaire s'adresse à elle d'une voix douce.

« Qui est Michel ? »

La réponse de Mme Carloni est presque imperceptible :

« Mon amant. Je ne connais pas son vrai nom. »

Quelques instants plus tard, tandis que le corps est enlevé par des policiers, le commissaire interroge dans le salon la femme de la victime. En phrases hésitantes, Henriette Carloni raconte son inimaginable aventure.

« J'ai rencontré Michel au mois de décembre dernier. Mon mari avait voulu passer seul les fêtes de fin d'année, aux sports d'hiver, avec des clients, m'avait-il dit... En fait, je savais bien que c'était avec sa maîtresse. Je n'ai pas protesté cette fois plus que les autres. Alors il m'a proposé, comme je serais seule, de passer une semaine dans un club de vacances en Tunisie. C'est là que j'ai fait la connaissance de Michel. Je vous le jure, monsieur le commissaire, il n'a jamais voulu me dire son nom. Tout ce qu'il m'a dit, c'est qu'il était marié. Il m'a fait promettre de ne pas chercher à savoir qui il était. »

Henriette Carloni a un pauvre sourire.

« Il est venu trois fois ici en l'absence de mon mari. Je suppose que Mme Michaux a dû vous le dire. La dernière fois, c'était il y a un mois. Il m'a dit qu'il devait s'en aller. Il n'a pas précisé où ni pourquoi. Je n'ai pas essayé de le retenir, c'était inutile. C'est alors qu'il m'a posé une question étrange. Il m'a demandé pourquoi je ne divorçais pas. Je lui ai demandé ce que ça pouvait lui faire puisque nous ne nous reverrions plus... »

Mme Carloni se tasse un peu plus sur elle-même. Dans son fauteuil, elle paraît perdue. Elle continue son récit.

« Michel m'a dit alors : « Ma pauvre Henriette, « il faudra bien que je t'aide malgré toi. » Il est parti et je ne l'ai jamais revu... »

Le commissaire a un cri de surprise.

« Vous voulez dire que l'assassinat de votre mari, c'était son... cadeau d'adieu ! »

Mme Carloni ne répond pas. Tout ce qui vient d'arriver, après des années de vie terne et malheureuse, la dépasse.

Le commissaire ne voit pas ce qu'il pourrait ajouter pour l'instant. Il quitte la pièce. En sortant dans le jardin, il se heurte à Mme Michaux, qui était restée là, ne pouvant s'éloigner aussi vite du lieu du drame. Et, sans trop savoir encore pourquoi, il lui pose une dernière question.

« Dites-moi, madame, avez-vous vu Mme Carloni et son amant ensemble ? »

La voisine ne voit pas où le policier veut en

venir. Elle rassemble ses souvenirs. A la fin, elle déclare :

« Effectivement, maintenant que vous me le dites, je les ai toujours vus séparément. Mais pourquoi ? »

Le commissaire ne l'écoute plus. Il se rue dans le pavillon. Il faut faire vite. Dans quelques instants peut-être, toutes les preuves auront disparu. La porte est restée ouverte. Il se précipite dans le salon. Mme Carloni a son sac à provisions à la main. Il le lui arrache.

« Vous alliez sans doute jeter tout cela dans la chaudière ? »

Il en déballe le contenu sur la table. En dessous des quelques provisions achetées au supermarché voisin apparaissent un imperméable, une perruque brune d'homme et un revolver... Henriette Carloni a perdu la partie. Elle se contente de dire :

« Si vous saviez ce qu'il m'a fait souffrir. Des années, j'ai espéré que j'aurais un amant qui me vengerait. Et, comme il ne venait pas, j'ai décidé de jouer le rôle moi-même. C'est dommage, Michel aurait mérité d'exister ! »

UNE VILLE PROPRE

2 MAI 1956, dix-huit heures. Harry Lester s'accorde un peu de repos après une journée bien remplie. Il est satisfait : les affaires marchent bien, son cabinet d'assurances est prospère. Il a cinq secrétaires, trois représentants et il envisage d'accroître son personnel.

A quarante-six ans, Harry Lester est l'image même de la réussite. Mais il se consacre avant tout à sa famille : sa femme Joan, sa fille Grace et son fils Michael.

Harry Lester regarde sa montre. Dans un quart d'heure, il prendra sa voiture pour se rendre au Rotary club, dont il fait partie comme tous les notables. Ce n'est pas tellement qu'il aime cet endroit, mais c'est, pour ainsi dire, une nécessité professionnelle. Car à Lakeland, la petite ville de Floride où il s'est installé, la respectabilité sociale compte beaucoup. Lakeland est, comme on dit, « une ville bien ». Et c'est sans doute à sa bonne réputation qu'Harry Lester doit la prospérité de son cabinet...

Brusquement, sans s'être fait annoncer, deux hommes font irruption dans son bureau. L'un d'eux porte une chemise bariolée sur laquelle est épinglée une grosse étoile de shériff. Il s'adresse à Harry en mastiquant son chewing-gum :

« J'ai un mandat d'arrêt contre vous, Lester. Vous allez nous suivre gentiment sans faire le mariole. Compris ? »

Harry n'a pas le temps de réagir. Tout ce qu'il trouve à dire, tandis qu'on l'emmène sans ménagement, c'est cette phrase stupide :

« Mais enfin, je vais être en retard à mon club. »

Dans le poste de police, Harry Lester, qui a repris ses esprits, laisse éclater son indignation. Mais le shérif le considère placidement sans cesser de mastiquer son chewing-gum.

« Du calme, mon gars. Les questions, c'est moi qui les pose. Et d'abord, il faut que vous sachiez une chose : à Lakeland, on n'aime pas beaucoup les violeurs. »

Les violeurs ! Harry Lester a pâli. Le shérif, visiblement satisfait de son changement d'attitude, commence l'interrogatoire.

« Vous allez me dire quand vous êtes allé pour la dernière fois au *Purple Candy* et quand vous avez vu pour la dernière fois Jennifer Lamb. »

Harry ouvre des yeux ronds. Le *Purple Candy* est un bar à la sortie de la ville. Il a dû s'y rendre deux fois dans toute son existence. Quant à Jennifer Lamb, ce nom ne lui dit rien.

Le shérif ne le laisse pas aller plus loin dans ses pensées :

« Vous ne voyez pas ? Je vais vous rafraîchir la mémoire... Sam, fais entrer Miss Lamb. »

Une jeune femme apparaît. Elle est jeune, jolie, moulée dans une robe agressive. Mais son attitude contraste avec sa toilette provocante. Elle est craintive, apeurée. Le shérif l'invite à s'asseoir. Il lui parle d'une voix douce. Il a retiré son chewing-gum.

« Miss Lamb, reconnaissez-vous cet homme ? »

La jeune femme se met à éclater en sanglots :

« Oui. Je le reconnais. C'est lui ! »

Le shérif la fait reconduire avec ménagements et se tourne en rugissant vers Harry.

« Alors, vous avouez, maintenant ? »

Harry Lester ne s'affole pas. Il est très calme.

« Shérif, cette femme ment. Je ne sais pas pourquoi, mais elle ment. Maintenant, j'exige de téléphoner à mon avocat. »

Le shérif reprend un chewing-gum et lui passe le téléphone.

« A votre aise, mon gars. Et vous pourrez lui dire qu'il va avoir du boulot. »

Les jours suivants, malgré l'insistance du shérif et des autres policiers, Harry Lester persiste à nier farouchement. Dans sa cellule, il reçoit la visite de Joan et de ses enfants. Ils sont bouleversés, mais, pas un instant, ils ne le croient coupable. Son avocat est également persuadé de son innocence.

Pour Harry, cette aide morale est précieuse. C'est elle qui lui donne la force d'affronter, après quatre jours de détention, la confrontation dans le bureau du juge d'instruction.

Devant le magistrat, Jennifer Lamb répète ses accusations avec plus de violence encore. Harry a beau tenter de la raisonner, il n'y a rien à faire. C'est lui l'ignoble individu, le violeur.

Harry Lester est donc officiellement inculpé de viol et il a même beaucoup de mal à obtenir sa liberté sous caution. Quand il sort du bureau, libre provisoirement, Harry a brusquement une pensée désagréable : « Peut-être aurais-je mieux fait de rester en prison ? Que vais-je trouver dehors ? »

La réponse ne tarde pas. Dès qu'il est dans la rue, une forme se jette sur lui. C'est Jennifer Lamb, qui agrippe ses vêtements et qui tente de le griffer. En même temps, des éclairs éclatent devant lui. Les journalistes, qui l'attendaient eux aussi, viennent de réussir un beau cliché.

Harry, entouré de sa femme, de ses enfants et de son avocat, parvient à s'engouffrer dans la voiture. Comme il n'est que onze heures du matin, il se fait déposer au bureau.

En entrant, il a une surprise : toutes les pièces sont vides. Mais l'explication ne tarde pas. Sur son bureau, parmi le courrier qui s'est accumulé, il y a huit lettres : ce sont les démissions de ses secrétaires et de ses représentants. Harry reste quelque temps les bras ballants, désœuvré, abattu quand le téléphone vient le tirer de ses pensées. C'est une voix d'homme, agressive :

« Allô ! ici M. Brown... Ah ! c'est vous, espèce d'ordure ! Je vous informe que j'annule tous mes contrats et j'espère que vous serez condamné au maximum. »

Harry Lester raccroche, abasourdi. Ils ne peuvent pas croire une chose pareille ! Son personnel, si fidèle. M. Brown, un de ses plus vieux clients.

Si, c'est possible. En dépouillant le courrier, Harry s'aperçoit qu'une lettre sur deux est une annulation de contrat. Et puis, le téléphone n'arrête pas de sonner : des voix d'hommes, des voix de femmes, excitées, hystériques, des injures contre lui, contre sa femme, ses enfants, et le même mot qui revient comme une litanie : « J'annule, j'annule ! »

Harry Lester, brisé, quitte son bureau. Il prend le chemin de son club. Il veut parler à ses collègues. Il va leur dire qu'ils n'ont pas le droit de le juger, de le condamner sans preuve.

Mais Harry ne va pas bien loin dans le pompeux bâtiment du Rotary club de Lakeland. A peine a-t-il franchi le hall que le concierge se précipite sur lui, l'empoigne par le col et le jette à la rue. Harry Lester rentre chez lui dans un état second. En chemin, il achète le *Lakeland Mirror,* le quotidien local.

Il a un haut-le-corps. Même dans ses pires appréhensions, il ne s'attendait pas à cela. Toute la première page lui est consacrée. Sous un énorme titre : « Le criminel et sa victime », figure la photo de Jennifer Lamb se jetant sur lui. Mais ce n'est pas tout. Il y a aussi un éditorial du directeur du *Lakeland Mirror,* intitulé : « Pour une ville propre. » Il annonce le lancement d'une pétition exigeant non seulement une procédure rapide contre lui, mais le départ immédiat de sa famille...

15 mai 1956. Il y a maintenant deux semaines qu'Harry Lester a été inculpé. Il est toujours en liberté sous caution. Mais il préférerait mille fois la prison. Il n'est pas retourné à son bureau. A quoi bon ? Il sait très bien qu'il n'a plus un seul client. Il vit cloîtré dans sa maison sans songer à sortir. Joan, sa femme, elle-même, y a renoncé. Les commerçants refusent de la servir. Leur seul lien avec le monde extérieur est l'avocat qui leur apporte des nouvelles et des provisions. Il tente de leur remonter le moral. Il mène son enquête

personnelle sur le passé de Jennifer Lamb et il reste confiant.

Pourtant, jour après jour, la vie devient de plus en plus difficile pour les Lester. Un soir, Grace, leur fille, rentre en larmes : son fiancé vient de rompre. Quant à Michael, il revient du lycée avec des bosses et des bleus. Il refuse de répondre aux questions et monte s'enfermer dans sa chambre. Et, le lendemain, il repart pour ses cours, tête en avant, l'air buté, les poings serrés.

Mais surtout, il y a le journal, le *Lakeland Mirror.* Numéro après numéro, le directeur se déchaîne. La campagne pour l'expulsion des Lester bat son plein. « Déjà 5000 signatures, proclame l'éditorial. Encore un effort et nous serons définitivement débarrassés de cette souillure. Lakeland redeviendra ce qu'elle n'aurait jamais dû cesser d'être : une ville propre. »

C'est une semaine plus tard que l'avocat arrive en trombe chez les Lester. Il est tellement ému qu'il a du mal à s'exprimer.

« Mon enquête vient d'aboutir. J'ai retrouvé la trace de Jennifer Lamb au Canada. Elle est née à Ottawa où elle a été prostituée et danseuse nue. Elle a été condamnée en 1952 pour attentat à la pudeur et en 1954 pour chantage au viol imaginaire. »

A partir de ce moment, tout va très vite à Lakeland. Un non-lieu est rendu en faveur d'Harry Lester. Le shérif et son adjoint, coupables de graves négligences professionnelles, sont révoqués. Jennifer Lamb est arrêtée pour faux témoignage.

Et, bien entendu, tous les anciens amis, tous les voisins d'Harry tiennent à se faire pardonner. Ils n'ont jamais cru un mot de cette histoire. Ils ont seulement été obligés de prendre leurs distances à cause du qu'en-dira-t-on. Les clients du cabinet d'assurances reviennent plus nombreux qu'avant. Au Rotary club, on organise une réception en l'honneur d'Harry Lester, cette personnalité de la ville si odieusement calomniée. Le directeur du *Lakeland Mirror* publie des excuses dans son journal. Et, peu après, les parents du fiancé de Grace viennent faire la demande en mariage de leur fils.

C'est un peu plus tard encore, en juillet 1956, que le directeur du *Lakeland Mirror* s'est de nouveau manifesté, sous la forme d'un coup de téléphone.

« Monsieur Lester? Je sais que vous êtes surpris de m'entendre, mais j'ai une bonne nouvelle pour vous : Jennifer Lamb s'est suicidée dans sa cellule; elle s'est ouvert les veines. Cela doit vous faire plaisir, quand même!... A ce sujet, je viens d'apprendre que Miss Lamb avait une sœur qui vit toujours à Lakeland. Alors, j'organise une pétition pour exiger son départ immédiat et, bien entendu, j'inscris votre nom en tête de liste... Vous êtes d'accord, monsieur Lester?... Allô! monsieur Lester... monsieur Lester... »

L'*U 31*

Janvier 1915 : la guerre dure depuis six mois. Sur terre, les combattants se sont installés dans les tranchées. De part et d'autre, les communiqués se succèdent, faisant état de batailles aussi meurtrières qu'indécises.

Mais les hostilités n'ont pas lieu seulement dans les campagnes françaises. Elles se déroulent aussi sur mer d'une manière plus imprévisible, plus mystérieuse aussi parfois. Ici, pas de ligne de front, pas de positions qu'il faut enlever. Pour les unités combattantes, perdues dans ce premier hiver de guerre, l'ennemi peut surgir de partout et n'importe quand...

Le 15 janvier 1915, un patrouilleur anglais est en train d'avancer lentement au large des côtes hollandaises. Soudain, les hommes ont un sursaut : au loin une forme émerge de la brume, c'est un sous-marin allemand, un *U boat*. Aucun doute n'est possible : la forme de la tourelle et des canons est caractéristique. Il navigue en surface et se dirige vers eux, lentement, sûr de lui, comme s'il était certain que sa proie ne pouvait lui échapper.

Presque au même instant, la sonnerie d'alarme retentit et la voix du capitaine résonne dans les haut-parleurs :

« Canonniers, à vos pièces ! »

Rapidement, les hommes rejoignent leurs postes de combat. La silhouette métallique est maintenant parfaitement visible, malgré la brume. Le sous-marin doit être environ à un mile. Il se rapproche, toujours avec la même lenteur.

Tendus, les marins observent l'ennemi qui vient à leur rencontre. Ils s'attendent à tout instant à recevoir l'ordre de feu, mais celui-ci ne vient pas. Sans doute, le capitaine attend-il que le sous-marin soit plus près encore pour le couler à coup sûr. Mais il prend un gros risque. Si le *U boat* envoyait une torpille, est-il certain de pouvoir l'éviter ?

Les matelots se tournent de temps en temps vers la passerelle de commandement. Le capitaine est là, bien visible. Il tient ses jumelles et regarde en direction du sous-marin. Il semble suivre paisiblement sa progression. Qu'attend-il ?

Le sous-marin est maintenant à cinq cents mètres, tout au plus... Les marins britanniques peuvent le voir en entier. C'est un spectacle terrifiant et fascinant. Pour la première fois, ils ont sous les yeux un de ces terribles *U boats* qui sont leurs ennemis mortels. Celui-ci est d'un gabarit particulièrement redoutable. Il est fortement armé de deux canons de gros calibre, et sa peinture de guerre camouflée lui donne quelque chose de sinistre.

Pourtant, la passerelle de commandement reste muette. Le capitaine ne lance toujours pas l'ordre libérateur : « Ouvrez le feu. » Les marins qui sont placés le plus près de lui peuvent même le voir sortir un papier de sa poche, le regarder longuement, reprendre ses jumelles, regarder de nouveau le papier et hocher la tête.

A bord du patrouilleur anglais, plus personne ne comprend rien. Le capitaine ne donne pas l'ordre d'attaque mais le sous-marin allemand ne fait rien non plus... Il continue son chemin comme si de rien n'était, comme s'ils n'étaient pas là.

Enfin un grésillement dans les haut-parleurs. L'ordre va venir. Effectivement, il vient, mais ce n'est pas du tout celui qui était attendu.

« Alerte terminée. Quittez les postes de combat. »

Et tandis qu'éberlués, les hommes du patrouilleur de la Royal Navy abandonnent leurs pièces, le submersible allemand passe tout près d'eux, avec sa peinture de guerre camouflée, sa tourelle, ses canons, et son pont désert. Progressivernent, il diminue à l'arrière et il disparaît...

Longtemps, l'équipage commente cet extraordinaire événement. Le capitaine est-il devenu fou ? C'est peu probable. D'autant que le timonier, qui était juste à côté de lui pendant la rencontre, rapporte qu'il avait l'air parfaitement renseigné. Sur le papier qu'il a sorti, il y avait une silhouette de sous-marin. Il l'a regardé longuement et il a murmuré : « Oui, c'est bien cela... »

Quel est donc ce mystérieux sous-marin qu'il avait l'ordre de ne pas attaquer et qui, visiblement, de son côté, avait reçu un ordre semblable ? Une trêve a donc été conclue entre ce seul navire allemand et la flotte de Sa Majesté ? C'est probable mais pourquoi ?...

Trois jours plus tard, le 18 janvier 1915, un destroyer allemand patrouille en mer du Nord au large de la Belgique lorsque l'homme de quart pousse un cri.

« Sous-marin par bâbord avant ! »

Le capitaine consulte rapidement ses documents. Aucun sous-marin de la Kriegsmarine n'est signalé dans les parages. Il ne peut s'agir que d'une unité ennemie. Immédiatement, il donne l'ordre de prendre les postes de combat et de mettre le cap sur lui.

De la passerelle, le capitaine observe l'objectif. Il s'agit d'un submersible de grande taille qui fait route en surface. Une cible idéale : ses canons ne le manqueront pas. Il s'apprête à donner le signal du feu, mais quelque chose le retient au dernier moment. A leur approche, le sous-marin devrait plonger, car il n'est pas possible qu'il ne les ait pas vus. Et si, par hasard, c'était une unité allemande ? Le capitaine observe avec toute son attention la superstructure. Mais oui, il s'agit d'un *U boat,* bien qu'il soit d'un modèle différent de tous ceux qu'il connaît : plus grand, plus puissamment armé.

Le sous-marin continue à avancer dans la direction du destroyer. Le capitaine s'attend à voir des marins sortir sur le pont. Mais celui-ci reste désert. Il fait alors envoyer un message par signaux :

« Qui êtes-vous ? Avez-vous fait bonne chasse ? »

Mais le sous-marin continue son chemin en ignorant superbement les signaux et disparaît. « La courtoisie se perd dans la marine allemande », pense le capitaine...

Le 25 janvier 1915, une forme noire s'approche en pleine nuit de la côte anglaise. On la distingue à peine et, quelques instants plus tard, une énorme masse vient s'échouer sur la grève de Yarmouth.

Le lendemain, les habitants de la petite station balnéaire sont quelque peu surpris de constater qu'il y a un sous-marin allemand sur leur plage. Mais ils ne peuvent en savoir davantage car des cordons de soldats les empêchent d'approcher...

Alors, que s'est-il passé ? Quel est ce sous-marin allemand que ni les Anglais ni les Allemands n'ont attaqué et qui vient de terminer sa carrière sur une plage britannique ? En fait, c'est un des épisodes les plus extraordinaires et les moins connus de la Première Guerre mondiale. Les détails en ont été révélés plus tard, après l'armistice, quand l'Amirauté britannique s'est décidée à divulguer le secret.

Le sous-marin en question appartenait à un type nouveau d'*U boat* : les *U 31*. Les services secrets anglais avaient été avertis du prochain lancement d'engins de ce type. Pour la sécurité de leurs navires, il fallait absolument en connaître les caractéristiques avant le lancement.

Mais les services secrets étaient formels. Les bureaux d'études allemands étaient parfaitement sûrs. Il n'était pas question d'espérer recueillir un renseignement de ce côté. C'est alors qu'a germé, dans l'esprit des responsables de l'Amirauté britannique, ce projet insensé : s'emparer du bâtiment lui-même.

Un jour de novembre 1914, quatre sous-mariniers anglais sont convoqués devant le premier lord de l'Amirauté, Winston Churchill. Ils ont été soigneusement sélectionnés non seulement pour leurs connaissances techniques, mais aussi pour leur parfaite pratique de l'allemand. Et, devant eux, Churchill dévoile les détails de leur incroyable mission.

« Pourriez-vous conduire un sous-marin allemand de Wilhelmshafen à l'Angleterre ? »

Les quatre hommes se regardent... A la fin, l'un d'eux se décide à prendre la parole.

« A nous quatre ? Sans équipage ?

– Oui, sans équipage. »

Les marins sont de plus en plus interloqués.

« Mais nous ne pourrons pas faire les manœuvres de plongée. Nous ne serons pas assez nombreux. »

Churchill leur répond calmement.

« Vous n'aurez pas besoin de plonger. Vous naviguerez en surface. »

Cette fois, les sous-mariniers anglais sont franchement déroutés.

« Nous allons être attaqués et nous ne pourrons pas combattre à quatre. »

Sur le même ton calme, Churchill leur répond.

« Vous n'aurez pas besoin de combattre pour la bonne raison que vous ne serez pas attaqués. Les Allemands n'oseront jamais attaquer l'un des leurs et notre flotte ainsi que nos alliés seront prévenus. Ils auront les caractéristiques de votre bâtiment et l'ordre de lui laisser poursuivre sa route. »

Les quatre sous-mariniers anglais finissent par accepter et leur invraisemblable mission commence. Pris en relais par des espions anglais, ils parviennent en quelques semaines à Wilhelmshafen, le port militaire allemand. Les quatre hommes reçoivent des uniformes de la Kriegsmarine et le jour prévu ils avancent sur le quai... Ils lancent un ordre bref au planton, qui les laisse passer sans difficulté et ils pénètrent dans le navire...

Voilà comment ils ont pu réaliser cet extraordinaire exploit : s'emparer d'un prototype et parcourir en temps de guerre une mer infestée de bateaux des deux camps et enfin gagner leur objectif sans être inquiétés.

Oui, sans tirer un seul coup de feu, les quatre marins anglais de l'*U 31* avaient remporté une bataille à eux seuls, une bataille sans victime, ce qui n'était pas si courant en 1915.

LE BAL D'UN VAMPIRE

CARLO SANDA, le roi de la soie, est présentement assis dans le petit salon de son appartement de la villa d'Este, le 15 septembre 1948.

A quoi ressemble un roi de quelque chose ? Eh bien, cela dépend. A la bourse de Milan, chacun de ses gestes vaut des millions de lires. Il a la quarantaine, le front haut, la raie au milieu, les cheveux lisses, il est marié et a des enfants.

Mais qu'on lui ôte ses millions et il n'a l'air de rien, comme un roi sans couronne.

En robe de chambre de soie, un verre de champagne à la main, un cigare dans l'autre, il réfléchit. Il cherche, en compagnie de sa dernière maîtresse, Sandra, le meilleur moyen de se débarrasser en même temps des six autres femmes qui encombrent sa vie sentimentale, en dehors de sa femme légitime, bien entendu.

Elles sont toutes mères de famille, se connaissent parfaitement, et n'ont jamais demandé l'exclusivité. Mais la nouvelle pose des problèmes. Sandra est d'ailleurs un problème à elle toute seule. Pourquoi est-elle si rousse, si dorée, si pulpeuse, si exigeante :

« Carlo, ce soir je veux qu'elles sachent. Qu'elles sachent toutes que tu les laisses tomber. Trouve un moyen ! »

Et Carlo trouve l'idée. Une idée qui, à elle seule, permet d'apprécier toute la délicatesse de ce chevalier d'industrie, dans la soie comme dans l'amour. C'est une circulaire, une lettre ronéotypée, une note de service, en quelque sorte.

Chère Amie,

Je suis au regret de vous faire savoir que notre liaison prendra fin à partir d'aujourd'hui.

J'espère que vous ne m'en voudrez pas. Une femme, jeune et belle, occupe actuellement tout mon temps. Meilleurs souvenirs.

Carlo Sanda

Carlo établit de sa propre main six exemplaires identiques, y compris la signature, adressés à Angelina, quarante ans, Pia, vingt-huit ans, Thérésa, quarante-deux ans, Paulina, quarante ans, Carolina, quarante-cinq ans et Sophie, quarante-sept ans.

Jusque-là, à une exception près, Pia, vingt-huit ans, l'industriel semblait avoir une préférence pour les femmes mûres et expérimentées.

Sandra, vingt ans, se frotte les mains. Ce soir, au dîner dansant de la villa d'Este, sous les lumières du lac, elle pourra profiter de son triomphe. Chacune des six autres aura reçu sa petite circulaire. Elles seront là, endiamantées, envisonnées, cachant leurs rides et leur rage. Ce sera un spectacle de choix, pour un seul public : elle et son amant.

Carlo trouve son idée très drôle. Le pauvre cher homme s'ennuyait à mourir depuis quelque temps. Ses distractions habituelles ne lui suffisaient plus. Sandra l'oblige à pimenter sa vie, c'est un bon départ pour l'amour.

Les circulaires sont distribuées, c'est l'heure du bal, il est dix heures. Le lac de Côme étincelle et Carlo Sanda est diaboliquement heureux. Quel autre diable veut-il tenter en déclarant à une invitée : « Ma chère, c'est une soirée exceptionnelle. A deux heures moins dix, je serai mort... fantastique, non ? » L'invitée éclate de rire, mais Carlo a les yeux si brillants, qu'elle recule instinctivement.

« Vous n'êtes jamais sérieux, mon ami.

– Ma chère, le sérieux, c'est la mort justement ! »

Autour de Carlo Sanda, on rit par principe. C'est une boutade de plus du roi de la soie. Pourquoi a-t-il dit cela ? Provocation ? Oui. Pour voir les réactions, certainement. Une sorte de jeu nouveau. Une façon de flirter avec la mort. Mais peut-être sait-il laquelle, parmi les six femmes délaissées, choisira de relever le défi.

A dix heures trente, on dîne par petites tables. Carlo parle fort, rit, se penche sur le décolleté de sa voisine en lui racontant des histoires à l'oreille. Bref, fait tout ce qu'il peut afin que nul n'en ignore, pour afficher son bonheur tout neuf. Peut-on parler de bonheur ? Sûrement pas. Disons qu'il profite de l'extraordinaire situation qu'il a créée, et que c'est cela son bonheur.

A onze heures trente, on danse, on sert le champagne. Carlo et Sandra ont l'air d'être inséparables. Pas le moindre centimètre d'air entre la robe du soir et le smoking. Comme d'habitude, l'attitude de Carlo est à la limite de la correction la plus élémentaire. Lorsqu'il tient une femme dans ses bras, il donne l'impression d'en être le propriétaire.

Deux femmes observent plus particulièrement cette exhibition : Mme Carlo Sanda, la légitime, et la comtesse Pia, vingt-huit ans. La plus jeune du troupeau éconduit. Lorsque Carlo se lève pour inviter la comtesse à danser, il accompagne sa demande d'une grande courbette et d'un large sourire. Mais elle refuse, les dents serrées, et les voisins entendent :

« Ne me poussez pas à bout. »

Mais ce nouveau jeu est beaucoup trop amusant, et le don juan en rajoute. Il va successivement inviter toutes celles qu'il a congédiées de sa vie, et entre chaque danse il chuchote des choses terriblement drôles à la jeune Sandra. Elle rit si fort et si méchamment qu'elle ne voit pas le danger se lever enfin. La comtesse Pia est debout. Pâle, elle échange des propos sans intérêt avec son mari. Maintenant, elle s'éloigne vers le vestiaire, où elle réclame une veste de laine qu'elle a déposée en entrant. On lui tend la veste bien pliée, elle la prend à deux mains comme un trésor et retourne dans la salle de bal. On ne la voit pas s'envelopper de sa cape et laisser tomber le petit tas de laine qui ne lui sert plus à rien, car elle vient d'en retirer un revolver. L'arme est vieille, elle n'a plus fonctionné depuis la Libération, elle l'a volée dans les affaires de son mari avant de venir, après avoir lu et relu la « circulaire » de son amant.

A présent, la comtesse Pia s'approche de Carlo, et sa voix porte bien :

« Ne vous moquez plus de moi, je suis capable de tout ! »

Ce que disant, d'un geste large, elle repousse sa

cape d'hermine sur ses épaules et braque le revolver sur Carlo. L'assistance est muette. Muette d'admiration s'entend, car personne ne songe à lui ôter l'arme. Personne ne dit rien. On regarde, c'est passionnant, un drame éblouissant sur le lac de Côme.

Soutenu par son public habituel, Carlo se permet un éclat de rire condescendant.

« Vous n'oserez pas tirer. Vous n'oserez pas, je le sais bien. Vous n'aurez jamais la force, ou le courage de me tuer. »

Round d'observation, immobilité totale, cela ne dure que quelques secondes. Elle tire. Et Carlo s'effondre, tué net. Il est deux heures moins dix.

Debout au pied du cadavre, ignorant les cris autour d'elle, la comtesse retourne le revolver sur elle, et appuie sur la détente. Un déclic, mais pas de détonation, le revolver s'est enrayé. D'une voix enfantine, la comtesse prend le public à témoin :

« Mon revolver... il ne tire plus ! Je ne peux pas me tuer !»

Enfin, la foule s'émeut et quelqu'un la désarme. Enfin, c'est la panique.

Sandra, la rousse, la dernière maîtresse, en profite pour se jeter sur le corps de son amant, elle veut l'embrasser, mais n'y arrive pas, car une poigne de fer la repousse en arrière. C'est l'épouse légitime, qui retrouve ses droits et prérogatives devant la mort.

« Ne soyez pas ridicule, c'est mon mari ! »

C'est elle qui s'agenouille, embrasse et pleure, selon les bonnes règles de la tragédie antique, tandis que l'on emmène Pia, la comtesse meurtrière.

La police découvrit que Carlo avait écrit 3929

vers pornographiques, dans lesquels il racontait ses amours.

Il adorait lire les passages qui concernaient l'une de ses maîtresses à une autre. Il aimait bien aussi les lire à toutes en même temps, au cours d'une soirée amicale par exemple, et devant ses amis. Les rires qu'il déclenchait, la haine, la jalousie, tout cela le transportait d'aise. Il adorait faire la cour à une femme nouvelle, devant celle qu'il avait séduite la veille. Et il adorait plaquer cette femme une heure après, pour sa meilleure amie qu'on venait de lui présenter. Il voulait bien reconnaître qu'il n'était pas beau, à condition de se faire passer pour le diable, et s'intitulait lui-même : « spécialiste de la femme mûre », « chasseur cruel d'un gibier fatigué », « maître incontesté de l'érotisme bourgeois », « vampire de l'amour ».

Sa femme hérite d'une fortune considérable, et prend immédiatement un amant, tandis que l'on juge la meurtrière, Pia, vingt-huit ans, comtesse.

C'est en mars 1952. Au moment du procès, une photo épouvantable circule parmi les jurés. Celle de la comtesse Pia, devenue folle et internée depuis le meurtre. Cheveux défaits, les yeux globuleux et vides, la bouche amère, les traits figés dans une sorte de rage intérieure, elle impressionnera terriblement le jury. Pourtant elle n'assistera pas à son procès, elle en est incapable.

Deux fois, elle a tenté de s'ouvrir les veines à l'hôpital et les médecins révèlent qu'à l'âge de vingt ans, déjà, elle avait tenté de se tuer en s'empoisonnant et en se jetant par la fenêtre.

Le jury est désarçonné. Comment condamner un être disparu de ce monde, par une porte invisible ? Comment décider si cette femme avait ou non franchi cette porte qui sépare la raison fragile de la folie brusque ? Avait-elle tué en état de démence ? La réponse fut oui. Ainsi se termina le bal d'un vampire.

JE SUIS COUPABLE!

12 MARS 1959 : dans un commissariat de police de Dallas aux Etats-Unis, un homme vient d'être arrêté. Il n'a pas le physique habituel des petits voyous ou des gangsters. Il doit avoir la quarantaine, il est correctement habillé. Pourtant, il vient d'attaquer un supermarché de la ville.

Dès qu'il est devant l'officier chargé de l'interroger, l'homme, jusque-là très calme, s'anime brusquement.

« Ecoutez-moi, lieutenant. J'ai déjà cinq agressions à main armée. C'est la sixième. Et dites-vous bien que si vous me relâchez, je recommencerai. »

Un peu surpris, l'officier examine ses papiers... Soudain, il a l'air gêné, très gêné.

« Major Eatherly, tout cela ne me semble pas bien grave. Je ne pense pas qu'il soit nécessaire de vous enfermer. »

A ces mots, l'homme devient comme fou :

« Mettez-moi en prison, je suis coupable... Vous m'entendez : coupable! »

Le policier a un geste apaisant :

« Bien, major, nous allons vous enfermer puisque vous y tenez. Mais si vous avez besoin de quelque chose, n'hésitez pas à m'appeler. »

Le major Eatherly est conduit dans une cellule grillagée du poste de police de Dallas. Il se prend la tête dans les mains, Il se souvient. Il ne fait que cela depuis des années : se souvenir...

Lundi 6 août 1945. Dans un avion, à dix mille mètres d'altitude, il survole les côtes japonaises. Ce matin-là, il fait beau, terriblement beau. En dessous de lui, il y a une ville. Elle s'appelle Hiroshima.

Aux commandes de son bombardier B 29, le major Eatherly, un des as de l'aviation américaine, spécialiste de la météo, décrit de larges cercles. Cela fait vingt-cinq minutes, depuis sept heures exactement, qu'il a décollé de la petite île de Tinian, dans le Pacifique, où un autre B 29 attend le résultat de sa mission pour prendre l'air à son tour. Dans ce B 29, il le sait, il y a une arme secrète terrifiante, une bombe d'un type entièrement nouveau, capable de détruire à elle seule une ville entière.

Seulement, pour que l'opération ait lieu, il faut que la météo soit satisfaisante au-dessus de l'objectif et c'est à lui, Eatherly, qu'il appartient de donner le signal.

En bas, sur la mer, il distingue une couche compacte de nuages. Mais, juste au-dessus de la ville, juste au-dessus d'Hiroshima, il y a un grand trou d'environ vingt kilomètres de diamètre. Aux commandes de son avion, il voit parfaitement le dessin des rues et la tache verte des grands parcs. Hiroshima est là, Hiroshima, la ville tranquille aux maisons de bois, renommée dans tout le Japon pour la beauté de ses saules pleureurs.

Le major Eatherly décrit un nouveau cercle avec son avion. Peut-être ce grand trou circulaire au milieu des nuages va-t-il se déplacer, cacher la ville ? Mais non, il reste là, immobile, comme un arrêt irrévocable du destin.

Alors, il prend son micro et prononce les syllabes dont il se souviendra toute sa vie : « Y 2 – Q 2 – B 2 – C I », c'est-à-dire en clair : « Nuages bas : deux dixièmes, nuages moyens : deux dixièmes, nuages hauts : deux dixièmes, conseil : premier objectif. » C'est tout et c'est suffisant.

Quelques minutes plus tard, le second B 29 s'envole de la petite île de Tinian. Et, à 9 h 15 exactement, il y a 60 000 morts. Des mois, des années après, il y en aura des milliers d'autres à cause des brûlures et des radiations.

Le retour dans son pays est un cauchemar. Pour tout le monde, le major Eatherly est un héros. Lui, il ne se supporte plus. Il fait tout ce qu'il peut pour réparer l'irréparable. Il tient des réunions pacifistes. L'association des survivants d'Hiroshima lui envoie même un télégramme revêtu de centaines de signatures : « Nous ne vous en voulons pas, monsieur Eatherly, vous n'avez fait qu'obéir aux ordres. Nous vous remercions, au contraire, de votre courage. Continuez votre combat. »

Son combat, qui l'a compris ? Personne, pas même sa femme. Il avait épousé Gloria pendant la guerre, au cours d'une permission. Au début, ils ont essayé d'être heureux. Pourtant, elle en a eu vite assez de l'entendre se réveiller en hurlant, de le voir s'abrutir d'alcool et de tranquillisants et prendre l'argent du ménage pour envoyer des billets de dix ou de vingt dollars dans des enveloppes anonymes aux survivants d'Hiroshima.

En 1954, Gloria a demandé et obtenu le divorce. Eatherly ne l'a jamais revue, pas plus que ses enfants. Il faut dire qu'un homme qui passe sa vie dans les hôpitaux psychiatriques n'est pas très recommandable.

Eatherly n'a jamais oublié non plus son premier internement. C'était à la suite d'une tentative de suicide, juste après que le président Truman eut annoncé que l'Amérique disposait désormais d'une arme beaucoup plus redoutable que la bombe d'Hiroshima : la bombe H.

En arrivant à l'hôpital, il a réclamé qu'on lui fasse un électrochoc. Il se souvient encore du visage du médecin. Quelqu'un qui demandait un électrochoc, c'était la première fois ! Mais avait-il le choix ? Il lui fallait au moins cela pour oublier ce trou dans les nuages, le son de sa voix quand il a lancé le message, et toutes ces images, ces photos affreuses dans les journaux, ces hommes, ces femmes, ces enfants brûlés.

L'électrochoc ne l'a pas guéri. Et c'est alors qu'il s'est mis à commettre des délits : cinq attaques à main armée entre 1957 et 1959. A chaque fois il a plaidé coupable, il a crié sa culpabilité. A chaque fois il a été déclaré non responsable, non coupable. Et maintenant, ce 12 mars 1959, le major Eatherly, après l'attaque du supermarché de Dallas, attend de nouveau d'être jugé. Il n'espère qu'une chose : qu'on reconnaisse enfin la vérité, qu'on reconnaisse qu'il est coupable...

Son procès s'ouvre à Dallas le 10 avril 1959. Les magistrats n'ont pas perdu de temps. Il ne faut pas laisser quelqu'un comme le major traîner en prison. Au tribunal, les avocats se pressent autour de lui. Il n'en voulait aucun, il en a trois : celui envoyé par sa famille, l'avocat que l'Union des anciens combattants a mis gracieusement à sa disposition et un troisième, qui vient directement de Washington. Envoyé par qui, celui-là ? Sans doute par les milieux officiels, peut-être par le gouvernement lui-même.

Les débats se poursuivent sans passion ni surprise. Voici le directeur du supermarché qui vient annoncer qu'il retire sa plainte. Ce sont ensuite les plaidoiries. L'avocat de la famille a des accents qui bouleversent l'assistance. L'avocat des anciens combattants est plus émouvant encore.

« Votre Honneur, il y a déjà longtemps que notre association s'est penchée sur le cas douloureux du major Eatherly. Devant la cruelle maladie qui l'a frappé, elle a décidé de lui allouer une pension mensuelle de 264 dollars avec une invalidité de 100 p. 100. D'ailleurs, un lit lui est réservé en permanence dans notre maison de santé. Pour nous, Votre Honneur, le major Eatherly est un héros et une victime... »

L'avocat oublie simplement de dire que Claude Eatherly n'a voulu participer à aucune cérémonie commémorative et a toujours refusé de porter ses décorations. Cela, ce sont des choses qui ne se disent pas.

Après l'avocat de Washington, qui a de très belles paroles lui aussi, c'est au tour du médecin expert qui fait grosse impression. Il sait employer les mots qu'il faut, des mots précis, compliqués et savants :

« Le major Eatherly, Votre Honneur, souffre de schizophrénie paranoïde... »

Ainsi donc, tout est simple. Le cas Eatherly est rangé dans un tiroir de la science avec une belle étiquette. Le remords d'un homme, le cri d'une conscience, la révolte face à l'absurdité, à l'ignominie de la guerre, tout cela n'existe pas : cela s'appelle « schizophrénie paranoïde ».

Le réquisitoire du procureur est inexistant. C'est tout juste s'il ne s'excuse pas de devoir tenir le rôle de l'accusation. Et le juge n'a plus qu'à prononcer la formule traditionnelle :

« L'accusé a-t-il quelque chose à déclarer ? »

Eatherly, qui était resté passif et absent pendant tous les débats, se dresse d'un bond.

« Je suis coupable ! »

Mais le juge n'a pas entendu. Personne n'a entendu...

« Je déclare l'accusé non responsable. Il sera confié à un établissement psychiatrique jusqu'à complet rétablissement. »

En repartant vers l'hôpital, Claude Eatherly n'a qu'une pensée : il souhaite qu'on lui fasse le maximum d'électrochocs. S'il existait une drogue capable de faire oublier tout son passé à un homme, alors, il serait guéri. Mais tant qu'elle n'existera pas, il sera incurable. Et, de nouveau, les portes de l'asile se referment sur lui...

Aujourd'hui, la plupart d'entre nous ont oublié Claude Eatherly.

Pourtant, dans ces années de l'après-guerre, au milieu de la bonne conscience générale, de l'enthousiasme des foules et des souvenirs désagréables vite oubliés, il y a eu et il restera cette voix, une voix discordante, celle d'un isolé, d'un asocial, d'un pauvre fou, qui, malgré tous les autres, et au nom de tous les autres, a continué à crier :

« Je suis coupable! »

LE DERNIER MILLIÈME DE SECONDE

CENT roses rouges étalent leur splendeur sur le palier d'un immeuble de Düsseldorf, et sur une carte, le nom du plus joli mannequin de la ville, un nom bien compliqué : Parwonneh, et une signature célèbre : Werner S..., le photographe de mode le plus prisé des agences de publicité allemande. Au dos de la carte, au milieu des roses, un petit mot laconique : « Pardon de te déranger la veille de ton départ – Contrat exceptionnel – Séance demain après-midi quinze heures-dix-neuf heures. »

Il est minuit quand la jeune femme rentre chez elle, et se heurte aux cent roses qui embaument son paillasson. Son compagnon fronce les sourcils, et demande d'un ton méfiant :

« Qu'est-ce que c'est ?

— Un message pour du travail demain. »

L'homme passe du ton méfiant au mépris volontaire :

« Ton photographe a l'habitude de t'envoyer des tonnes de roses à chaque message ?

– Non. Il sait que nous partons demain et ce doit être important, ce contrat. C'est pour cela sûrement qu'il a envoyé des fleurs, et puis c'est gentil, tu ne trouves pas ? »

Cette fois le ton est sec :

« Je ne trouve pas. Si quelqu'un doit t'envoyer des roses, c'est moi. Tu vas m'épouser dans une semaine, tu te rappelles ?

– Ecoute, Bob, tu ne vas pas être jaloux de Werner tout de même. Il est vieux, et je travaille avec lui depuis plus de trois ans...

– Et c'est lui qui t'a lancée, je connais la rengaine. Tu ne vas pas y aller ? »

Le joli visage de Parwonneh fait une moue affirmative, qui fait exploser son fiancé.

« Mais nous partons demain, tu ne peux pas me faire ça ! mes parents t'attendent ! »

Elle est calme, sereine :

« Eh bien, je vous rejoindrai par l'avion suivant. »

Il est exaspéré :

« Tu n'as pas besoin de cet argent !

– Ce n'est pas une question d'argent, Bob. C'est une question d'amitié professionnelle, je ne peux pas refuser.

– Je veux que tu refuses !

– Il n'en est pas question. Et ne me parle pas sur ce ton. Je n'aime pas les ordres.

– Tu n'aimes pas mes ordres ? Tu préfères les siens ? Ce guignol ridicule, hérissé d'objectifs, qui passe son temps à te photographier nue ?

– C'est son métier, et c'est le mien. On dirait que tu le découvres !

– Je découvre que tu tiens plus à ton " métier ", comme tu dis, qu'à moi ! »

Parwonneh essaie d'être conciliante :

« Ne dis pas de bêtises et aide-moi à rentrer ces fleurs.

– Je n'aime pas ces fleurs. Le seul vase qu'elles méritent, c'est la poubelle ! »

C'est ainsi que les cent roses rouges, des roses d'Ispahan comme Parwonneh, jolie fille d'Ispahan, dégringolent les escaliers, propulsées par un coup de pied jaloux. Puis une porte claque. Parwonneh rentre chez elle, et son fiancé chez lui. Quelques secondes plus tard, la concierge, à quatre pattes, récupère les cent roses. Elles embaumeront sa loge longtemps. Plus longtemps qu'il n'en faut à une fille d'Ispahan, pour mourir, l'espace d'un matin.

A son réveil, vers onze heures du matin, Parwonneh hausse les épaules en écoutant les messages du répondeur téléphonique :

« Ma chérie, pardonne-moi. Je suis jaloux, c'est vrai. Ce vieux type m'a toujours énervé avec ses mines de propriétaire. J'ai toujours l'impression qu'il a des droits sur toi. Ton avion part ce soir à vingt heures pour les Canaries. Je viendrai te chercher. Ouvre ta porte, le billet est sur le paillasson. »

Tout en grignotant son petit déjeuner, Parwonneh ouvre la porte et se cogne une nouvelle fois. Cent roses rouges font un nid parfumé au billet d'avion. Quel gâchis ! Que faire de cent roses, alors qu'elle quitte son appartement pour un mois de voyage de noces. La jeune fille claironne dans l'escalier :

« Madame Scholtes ! Vous êtes là ? »

Mme Scholtes, la concierge, est toujours là. Elle entend toujours tout. Son visage fripé apparaît entre deux étages, et Parwonneh lui sourit :

« Vous voulez des roses ? Je vais travailler dans une heure et je prends l'avion ce soir ! »

Avec un sourire entendu, la concierge ramasse la corbeille :

« Elles sont plus belles que les autres, c'est dommage ! J'en ai déjà, vous savez ! Je suis transformée en fleuriste.

– Eh bien, vendez-les, faites-en des conserves, ou offrez-les à qui vous voudrez ! »

Et Parwonneh retourne au répondeur téléphonique. Un appel de son père :

« Bon voyage, sois heureuse, ma chérie, et à bientôt. »

Le dernier appel est de Werner, son photographe, le responsable du premier cent de roses :

« Il est dix heures, je sais que mon Papillon n'est pas réveillé. La séance te plaira. Douze robes du soir pour *Vogue.* Je t'envoie le coiffeur à onze heures et demie et la maquilleuse à midi. Fais-toi belle, Papillon, à tout à l'heure. »

« Papillon » ouvre la porte au coiffeur. C'est un jeune éphèbe devant qui elle ne craint pas de prendre sa douche, en bavardant de mille stupidités. Puis la maquilleuse s'empare de son visage, qu'elle examine à la loupe d'un œil critique et professionnel :

« Traits tirés, le teint terne. Tu es encore rentrée tard, mon chou ! Enfin, on va faire avec ! C'est du maquillage grand-soir, ça cache tout. »

A l'en croire, « Papillon » serait affreuse. Elle est bien la seule à le penser.

Vingt-deux ans, d'origine persane, Parwonneh est considérée comme la plus belle des « top-modèles » allemands. Cheveux noirs splendides, en crinière, yeux vert émeraude, teint mat, et des mensurations de Vénus : 1,70 m, 89, 90.

Pour les initiés c'est une carte de visite. Sa photo s'étale dans les plus grandes agences. Papillon est son nom de travail; en cinq ans, elle a gagné dix fois plus qu'un P.-D.G. d'entreprise.

A quatorze heures trente, parée comme une déesse, Papillon saute dans un taxi, avec ses valises, son coiffeur et sa maquilleuse. Elle prendra l'avion dès la fin de la séance avec Werner. Pour une jeune fille qui va mourir dans trois heures, elle est très gaie. Et le chauffeur de taxi ne se prive pas de lui faire la cour sans aucun complexe.

« Si vous voulez un chauffeur à vos pieds, n'hésitez pas ! Je suis là !

– Eh bien, d'accord. Venez me prendre à partir de dix-neuf heures, devant le studio. Je prends l'avion à vingt heures, et j'aurai peu de temps. »

En coup de vent, sourire aux lèvres, Papillon envahit le studio et tombe dans les bras de Werner.

« Allons-y, papa ! Tu as dit douze robes ? Où est la première ? »

Werner fait la grimace :

« Ne m'appelle pas papa ! Tu sais bien que je suis ton amant préféré. »

Papillon l'embrasse délicatement sur le front :

« Mon photographe préféré, seulement !

– C'est la même chose, tu sais, chaque photo que j'ai faite de toi, c'est un souvenir d'amour.

– Werner, arrête ! J'ai déjà assez de problèmes avec mon fiancé. Allons-y. Je n'ai pas beaucoup de temps. Mon avion est à vingt heures. »

Werner fait la grimace, s'adresse au coiffeur et à la maquilleuse :

« Bon. Une retouche ici, pour la mèche du front. Je veux un rouge à lèvres feu, plus violent que ça. Allez-y, mes enfants, après ça vous filez. Aujourd'hui, je travaille seul avec Papillon. J'ai besoin de concentration. Ces douze robes, ce n'est pas de la photo, c'est plus. C'est de la peinture, de la sculpture, du génie ! Je la veux inimitable notre Papillon. »

Un quart d'heure plus tard, Papillon est seule avec son pygmalion. Elle a revêtu la première robe. Une soie rouge, en forme de sari indien. Les onze suivantes attendent leur tour, accrochées au mur du studio, et la dernière sera son linceul.

Comment sait-on ? Comment peut-on raconter en détail la mort d'un homme et d'une femme enfermés seuls dans un studio de photographe ? Puisqu'ils vont mourir tous les deux, ils ne pourront pas le raconter ! Quant à l'assassin il mourra aussi. Alors comment peut-on savoir ?

Parce que cette histoire est un scénario à la Hitchcock. Et comme dans les films du célèbre metteur en scène, tout est écrit à l'avance, et tous les éléments sont donnés :

Premier personnage : Werner. C'est un curieux homme de cinquante-deux ans. Il a été beau, il a été minable, il a été raté, il a été marié trois fois, il a fait faillite trois fois dans des entreprises diverses. Jusqu'au jour où il s'est pris de passion pour la photographie. Devenu en quelques années le spécialiste du nu artistique, pour magazine de luxe, Werner a rencontré un jour son Papillon : sa rose d'Ispahan. Elle avait dix-huit ans et une rare photogénie. Il en a fait la reine des journaux de mode et des affiches. Mais il en est tombé si éperdument amoureux, qu'il s'est conduit avec elle comme un gamin. De dix-huit à vingt-deux ans, son Papillon s'est retrouvé dans une cage dorée, appartement de luxe, fourrures, gadgets, coiffeur personnel, et tapis persans. Werner a voulu vivre un conte de fées. Mais sa perpétuelle adoration a fini par étouffer la jeune femme et, un beau soir, est arrivé ce qui devait arriver : un jeune homme. Il avait pour lui vingt-six contre cinquante-deux. Des cheveux bruns, contre un crâne presque chauve. Une fortune datant de cinq ou six générations, une aisance et une manière de faire la cour, à coups de rivière de diamants et de cocktails dans le monde. Le Papillon s'est laissé prendre. Faire partie d'une grande famille bourgeoise, disposer d'un chauffeur et d'un mari séduisant, promener sa beauté sans autre but que la flânerie des privilégiés de ce monde, croiser Onassis en Méditerranée et la duchesse de Windsor à Paris, sourire à des premiers ministres, dîner à New York et prendre le petit déjeuner à Las Palmas... Bob avait gagné. Werner s'inclinait. Leur dernier affrontement sur le terrain c'était hier, à coups de roses d'Ispahan.

L'heure tourne. Papillon a revêtu la deuxième robe, et cherche une attitude devant la glace tandis que Werner téléphone à sa mère ainsi qu'il le fait souvent. C'est une vieille femme paralysée de quatre-vingts ans, qu'il adore et respecte. Juive, elle a subi les camps de concentration pendant la guerre, tandis que son mari, Allemand bon teint, poursuivait ses frères de race avec un acharnement de bon aloi. Werner, le fils, n'a jamais pardonné à ce père-là. Sorti d'une pension suisse après la guerre, il s'est consacré au fantôme qu'était devenue sa mère. Un fantôme paralysé, mutilé, terrible. Il la vénère comme son monument aux morts personnel. Sa voix est douce quand il lui parle :

« Maman ? Tu es là ? »

Papillon n'entend pas la conversation. En tout cas elle ne s'en mêle pas, trop occupée par sa silhouette moulée de lamé argent. Elle retrouve Werner sur le plateau, et tous deux continuent leur travail. Le photographe semble entièrement pris par le déroulement des poses.

« C'est bien comme ça, relève un peu le menton, bouge un peu ta main, à plat sur la hanche, O.K. »

Troisième robe. Un bleu nuit en mousseline transparente, rehaussée d'une écharpe en fil d'or. Papillon fait frissonner la mousseline, et hésite :

« Tu préfères assise ou debout ?

– Debout, chérie, dans la lumière. J'ai besoin de voir tes jambes en transparence. »

Werner travaille avec application, sûr de lui, comme s'il avait longuement préparé cette séance.

Quatrième robe. Du satin jaune d'or. Papillon plaisante :

« Je voudrais voir les femmes qui vont porter ça, perchées comme moi sur une échelle noire et une jambe en l'air ! Ça va ?

– Ça va. »

La cinquième robe, blanche à paillettes, a le don d'énerver Papillon. Elle n'arrive pas à l'ajuster. Werner s'en mêle. Puis renonce.

« Passe l'autre, on verra plus tard. »

La sixième, la septième, la huitième, neuf, dix robes. Werner travaille vite. Papillon a l'habitude. Ils discutent à peine. De temps en temps, le photographe donne une indication à son modèle, mais la plupart du temps, il la suit, mitraillant sa silhouette, à raison d'une dizaine de clichés par robe.

Puis Papillon enfile la robe suivante, la blanche, si difficile à ajuster. Elle demande si c'est la dernière et Werner répond :

« Encore une après ça. Tu verras, c'est la plus belle. »

Il y a maintenant trois heures qu'ils travaillent tous les deux et ils sont sûrement fatigués, car Papillon grogne :

« J'en ai plein le dos de cette robe! On t'a donné du 44, ma parole? Qu'est-ce qu'il leur prend? Ils font des modèles pour femmes fortes? »

Werner, lui, se bat avec un matériel quelconque. Un projecteur sûrement. Papillon réclame son aide à nouveau. Elle est agacée, le ton de sa voix monte. Elle réclame une épingle, puis des pinces à linge. Elle en veut à Werner, qui n'a pas gardé de personnel.

« Qu'est-ce qui t'a pris de renvoyer tout le monde, pour une séance pareille? Regarde-moi! Je dégouline, et pas de maquilleuse! J'ai une robe trop grande et pas d'habilleuse!

– C'est samedi, je ne voulais pas les priver de leur week-end. Et puis je voulais être seul avec toi.

– Pour quoi faire?

– Comme ça... Tu t'en vas pour longtemps! Qui sait si je te reverrai?

– Je n'ai jamais dit que j'allais arrêter de travailler!

– On dit ça, on dit ça, mais tu épouses ce type, en attendant.

– Werner! Tu ne vas pas recommencer. Je l'aime!

– On n'aime pas une gravure de mode!

– Merci pour moi!

– C'est pas la même chose, tu le sais bien. Ce

type, c'est du papier. Du papier fric, je te l'accorde, mais du papier quand même. Il est inconsistant.

– Tu dis ça par jalousie !

– Absolument pas. Mais l'idée de te voir finir ta vie dans les bras de ce dandy m'horripile.

– On en a parlé cent fois ! Je croyais t'avoir demandé de ne plus me parler de lui ! Werner, tu m'écoutes ? Qu'est-ce qu'il y a ? Tu ne vas pas recommencer, dis ?

– Oh ! non. Je sais. Nous deux c'est fini. On s'est bien amusés, c'était pas mal, n'en parlons plus. C'est ce que tu veux !

– Ne joue pas les amants malheureux !

– Je ne joue pas. Je suis malheureux... Allez, en place ! »

La onzième robe, la blanche, montrera Papillon perchée sur un tabouret de bar, ses longues jambes croisées dans une attitude sophistiquée. La dernière robe est noire et brillante. Werner donne ses ultimes conseils. Il semble que sa voix soit plus basse, un peu rauque. Fatiguée ou triste...

« C'est du lamé élastique. Rien dessous s'il te plaît, tout marque et c'est transparent.

– Attends-moi une seconde. Je vais enfiler un collant. »

La seconde dure bien cinq minutes. Cinq minutes de silence.

Papillon revient.

« Tu vois, c'est un collant complet, du cou aux pieds comme les danseurs, et on ne voit rien.

– C'est joli, j'ai envie de faire une série de photos comme ça. C'est même plus joli que la robe. Attends, j'ai une idée... Mets-toi de dos, prends la robe, d'une main, et laisse-la traîner sur les marches. C'est fantastique! Le corps et la robe, tu comprends? C'est la beauté pure. On devine que la robe laissera le corps libre. Surtout tu ne bouges pas. Ne tourne pas la tête, redresse le cou, dégage les épaules, secoue tes cheveux. Voilà, ne bouge plus maintenant, surtout ne bouge plus! »

Werner cette fois ne fait qu'une photo. Une seule. On entend le bruit de ses pas. Puis un coup de feu. Et un autre. Le bruit d'un corps qui tombe sans un cri, un grand silence, encore des pas, puis la voix de Werner, basse :

« Maman, tu es là? Voilà, c'est fini. Elle est morte. Dans quelques instants, je vais mourir ici. Tu embrasseras les enfants, maman. Tu ne raccroches pas, hein? Tu m'as promis! Tu restes là, s'il te plaît, maman. »

Voilà pourquoi on sait tout jusqu'au moindre mot. Au début de la séance, Werner a appelé sa mère et n'a pas raccroché. Et sa mère, paralysée dans son fauteuil, a suivi pendant trois heures et demie la lente progression de Werner vers l'assassinat; elle va suivre maintenant la propre mort de son fils.

Werner avale deux tubes de comprimés avec un verre d'alcool, puis il retourne à l'appareil.

« J'ai pris les cachets, maman. J'ai essayé de vivre sans elle, tu sais, mais je n'ai pas pu. Tu comprends? Tu sais ce que c'est, hein, maman? La mort c'est mieux que la vie, que cette vie-là. Adieu, maman... »

Le chauffeur de taxi était à l'heure pour emmener sa cliente à l'aéroport, une demi-heure plus tard. Il a tambouriné à la porte et vu de la lumière. Alors il est entré. Et derrière lui la police, à quelques minutes près. Werner avait attendu l'effet des cachets avant de se tirer une balle dans la tête. Le téléphone n'était pas raccroché. Mais il n'y avait personne en ligne. Police secours avait reçu l'appel d'une vieille dame, donnant l'adresse du studio, et qui avait dit :

« Mon fils vient de tuer la femme qu'il aimait, son modèle, et il s'est suicidé. »

Lorsque le policier chargé de l'enquête est venu la voir, elle a raconté tout ce qu'elle avait entendu. L'inspecteur était sidéré :

« Pourquoi n'êtes-vous pas intervenue ? Vous rendez-vous compte que vous êtes complice d'un assassinat, et complice de la mort de votre propre fils ?

– La mort appartient à celui qui la veut, à celui qui la prend, à celui qui la donne. J'ai appris cela dans les camps, monsieur. S'il était trop malheureux pour vivre, c'était à lui d'en décider. Pas à moi.

– Par contre, vous appelez Police secours dès que tout est fini. Pourquoi ? Si vous aviez promis à votre fils de ne rien dire ?

– Il voulait que l'on soupçonne l'autre, le fiancé. C'était stupide. Cela n'aurait pas duré longtemps. Et puis, c'était inutile, cela gâchait sa mort.

– Vous n'aimez pas votre fils, madame ? C'est peut-être parce qu'il est plus allemand que juif ?

– Ne dites jamais cela, monsieur. Jamais. Son père était allemand ! Pas lui. Lui c'était mon fils et je l'aime encore. Je l'aime au point de respecter sa liberté, toute sa liberté. La liberté de vivre ou de mourir. La seule qui compte à mes yeux. Celle que je n'ai pas eue. »

La dernière photo de Papillon était la plus belle, pourtant on ne voyait pas son visage. Elle tournait le dos à la mort, et à l'objectif, au millième de seconde. Le dernier millième de seconde de vie d'un Papillon noir.

UNE DATE QU'IL NE FAUT PAS OUBLIER

« ON ne peut tout de même pas toujours vivre comme des bêtes. » En rentrant chez lui, ce soir-là, Heinrich Zuber ne peut s'empêcher de ressasser cette phrase dans sa tête. Tout à l'heure, à la sortie de son travail, un groupe d'ouvriers écoutait un orateur juché sur un tonneau. Malgré sa prudence naturelle et sa réputation de « bon ouvrier » il s'est approché et il a écouté. L'homme avait la trentaine, une grosse moustache, une voix grave, il gesticulait comme une marionnette et disait :

« Camarades, nous combattons pour la journée de huit heures, une augmentation des salaires, l'amélioration des conditions de travail, et l'abolition des listes noires. »

« La liste noire » ! En entendant ces mots, synonymes de chômage, Heinrich a jeté un regard inquiet autour de lui. Les recommandations de sa mère lui revinrent aux oreilles : « Ne t'occupe pas des autres, mon garçon. Fais ton travail sans jamais écouter personne. Pense à ton père qui est chômeur parce qu'il se mêlait de ce qui ne le regardait pas. » Comme il s'éloignait du groupe, une phrase de l'orateur est venue lui percuter les oreilles et se graver dans son cerveau : « On ne peut tout de même pas toujours vivre comme des bêtes ! »

Heinrich Zuber a quinze ans, il est fils d'immigrés allemands venus s'installer à Chicago en 1880. Voilà six ans qu'ils habitent le quartier Bremen, non loin des abattoirs où il travaille depuis un an. Comme son père est sur la trop fameuse « liste noire » des ouvriers syndicalistes et que de ce fait, il n'est plus engagé nulle part, c'est lui qui rapporte à la maison l'argent indispensable à la survie de ses trois frères et sœur.

Cahoté dans l'omnibus à chevaux qui le ramène vers son domicile, Heinrich a du mal à rassembler ses idées. A la réflexion, c'est vrai qu'il vit comme une bête. Levé à cinq heures. A cinq heures et demie, il prend l'omnibus. A six heures, il est au travail. A neuf heures, il a dix minutes pour le casse-croûte, à midi, une demi-heure pour la gamelle et il reprend le travail jusqu'à six heures. Il rentre à la maison, ivre de fatigue, vers sept heures. Il mange une grosse soupe, une tranche de pain au saindoux, une autre à la mélasse et il s'écroule dans son lit vers huit heures, comme une bête, jusqu'au lendemain matin cinq heures, et ça recommence.

C'est curieux comme tout à coup le jeune Allemand voit les choses différemment, les mots eux-mêmes n'ont plus du tout la même signification quand on réfléchit à leur véritable sens. Par exemple, quand il dit : « Je prends l'omnibus », il serait plus exact de dire : « Je prends une sorte de tombereau bringuebalant qui transporte un tas puant d'ouvriers qui dorment debout et s'écrouleraient s'ils n'étaient pas tassés comme des harengs saurs dans leur tonneau. » Quand il dit « maison », il devrait dire « une cabane en planches dont les joints laissent passer la pluie et le vent ». Le lit : « deux planches avec de la paille ». Les couvertures : « des sacs de pommes de terre ». Quand il dit : « quartier Bremen », il devrait dire : « cité lacustre, avec maisons et trottoirs sur pilotis au-dessus de ruisseaux nauséabonds qui deviennent des lacs au moment des grandes pluies et d'où s'envolent des essaims de mouches bleues, à la belle saison ». Même le mot « travail » n'a aucun sens... En effet, peut-on appeler travail d'homme cette course perpétuelle après la chaîne qui poursuit sa route et vous interdit même de vous moucher.

Avant-hier, un camarade qui découpe les porcs à côté d'Heinrich, pris d'un malaise, est tombé à terre. Le contremaître s'est précipité, non pas pour le secourir mais pour le pousser du pied et poursuivre le travail à sa place. Le malheureux est resté là sur le sol, le visage dans la boue sanglante jusqu'à ce que le service de secours entende, cinq minutes plus tard, leurs appels et vienne le chercher. A la suite de cette défaillance impardonnable, il sera sans doute mis à la porte. Et peut-on appeler lieu de travail un endroit où il n'y a même pas un lavabo et où des centaines d'hommes qui travaillent dix heures par jour dans le sang et les immondices, n'ont pas la possibilité de se laver les mains pour déjeuner ? Les conditions d'hygiène sont telles que si un ouvrier se fait une blessure quelconque, il a neuf chances sur dix d'en mourir. En six mois, 30 ouvriers sont morts de s'être fait au travail une simple petite coupure. Et toute cette misère pour même pas trois dollars par jour, le prix d'un modeste repas dans un restaurant de Chicago.

Et les « listes noires ». Les terribles listes noires où figurent les noms des ouvriers qui ont l'audace de revendiquer. Les meneurs, les sales mentalités, les syndiqués, les socialistes, les anarchistes. Ceux qui, comme son père, « se mêlent de ce qui ne les regardent pas » et osent réclamer de meilleures conditions de travail alors qu'il y en a tant qui s'en contenteraient. Car les émigrants arrivent par centaines et pour trouver du travail, il faut se battre, au sens réel du terme.

Voici quelques mois, une usine de conserve de viande annonce dans le journal qu'elle va engager 200 ouvriers. Au petit matin ils sont 3000 devant l'usine. La plupart ont passé la nuit sous la neige. Lorsque la porte s'ouvre enfin, c'est une véritable bataille rangée, la police est obligée d'intervenir à coups de matraque. Enfin, tant bien que mal, 20 ouvriers sont engagés et la porte se referme définitivement. C'est terminé. Sommée de donner une explication, la direction dit tout simplement que le typographe du journal s'est trompé d'un zéro, il a mis 200 au lieu de 20, voilà tout.

Et tout ça pour même pas trois dollars par jour. Oui, vraiment, a-t-on le droit d'accepter de vivre ainsi ? Comme des bêtes !

Comme Heinrich vient de s'extirper de son omnibus, il se trouve nez à nez avec son voisin Adolph Fisher, typographe à l'*Arbeiter Zeitung*. C'est un journal qui se mêle aussi de ce qui ne le regarde pas et incite les ouvriers à la révolte. Bien que Mme Zuber ait conseillé à son fils de ne pas parler à cet individu peu recommandable, Heinrich engage la conversation et apprend que c'est le patron d'Adolph, August Spies, qui haranguait les ouvriers à la sortie des abattoirs. Poursuivant sur sa lancée, le typographe lui dit qu'une grande victoire « syndicaliste » vient d'être gagnée. Quelques semaines auparavant, menacée de grève, une grande usine de machines agricoles a « lock-outé » l'entreprise. Cela consiste à fermer l'usine, renvoyer tout le personnel et réengager quelques jours plus tard seulement ceux que l'on désire conserver. C'est simple et c'est légal. On a toujours un prétexte de prêt pour refuser tel ou tel élément « perturbateur ». L'affiche du lock-out disait : « On embauchera de 800 à 1000 ouvriers. » Or, grâce à la campagne des journaux syndicalistes, lorsque l'usine ouvrit ses portes, seulement 300 ouvriers se sont présentés.

« Tu te rends compte, petit. Il n'y en avait que 300 ! Quelle victoire ! »

Tandis qu'ils poursuivent leur chemin, Heinrich s'interroge. Qu'aurait-il fait s'il s'était trouvé dans cette même situation ? Aurait-il fait partie des 300 qui se sont présentés, ou des 500 autres qui ont choisi la misère plutôt que la honte. Tout à coup le visage de son père « se mêlant de ce qui ne le regarde pas » surgit devant lui. Bien qu'il ne parle jamais de ses idées à la maison et se tait lorsque la mère grogne, ne fait-il pas partie de la liste noire ? Presque tous les jours, il se présente au bureau de l'emploi, où il a su qu'on embauchait 800 ouvriers dans l'usine de machines agricoles. Or il n'y a eu que 300 embauchés et son père est toujours chômeur. Il fait donc partie des 500 qui n'acceptent pas de travailler dans la honte. Un trouble étrange saisit Heinrich lorsqu'il passe à table, quelques instants plus tard.

Comme chaque soir, depuis des années, son père est assis au bout de la planche qui sert de table et mange en silence. Sa cuillère plonge dans son bol de soupe avant de disparaître sous les moustaches. Se sentant observé, le père lève les yeux de son journal posé sur la table et croise le regard de son garçon, alors pour dire quelque chose, il lance :

« Ça va, mon garçon ? »

Et il ajoute après un temps.

« C'est pas trop dur ? »

Heinrich voudrait parler, mais les mots se bousculent dans sa tête, et puis sa mère le regarde, les yeux suppliants. Un étrange silence est tombé sur la maison, même les petits sont restés la cuillère en suspens. Alors refoulant tout ce qu'il a sur le cœur, Heinrich répond :

« Non. »

Et le père se replonge dans sa solitude en s'absorbant dans la lecture de son journal. Au moment de se coucher, Heinrich qui guette cette occasion depuis un moment, déplie le journal que son père a posé sur le buffet. Avec peine, le jeune homme assemble les lettres : *Arbeiter Zeitung*. Un titre barre la page : « Ouvriers, samedi, tous à dix-neuf heures à Haymarket. »

Le lendemain, en sortant des abattoirs, Heinrich Zuber ne rentre pas chez lui. Quelques camarades de travail lui ont demandé s'il venait au meeting. Il n'a pas répondu, mais il a décidé de les suivre, pour s'informer. « On ne peut tout de même pas toujours vivre comme des bêtes. »

Une heure plus tard, tandis qu'il écoute un orateur, une main se pose sur son épaule. Il n'a pas besoin de se retourner pour savoir à qui appartient cette main. C'est celle dans laquelle il enfouissait la sienne lorsque, tout enfant, il allait à l'école en Allemagne, c'est celle qu'il serrait fort sur le bateau lorsqu'ils ont subi cette tempête en venant en Amérique. Comme elle est rassurante, cette main en ce moment précis, où noyé dans cette foule grondante, il prend conscience de son métier d'homme.

« Ça va, mon gars ? »

Comme la veille à table, Heinrich est dans l'impossibilité d'articuler une parole. Ils sont restés là, debout, l'un près de l'autre et comme le meeting finissait, ils sont rentrés en silence.

Plus tard, au moment de se coucher le père s'est approché de son fils, l'a pris par les épaules et lui a dit :

« Vois-tu, mon fils, ce jour-ci est une date qu'il ne faudra jamais oublier. »

Les jours suivants, les grèves se sont multipliées. Trop longtemps contenue, la colère se déchaîne. Une bombe tue six policiers, alors que les policiers ouvrent le feu. Des dizaines d'ouvriers tombent, on ignore le nombre exact des morts.

Un an après, à la suite d'un procès manipulé par les industriels de Chicago, quatre syndicalistes sont pendus dont Auguste Spies.

Le grand meeting de Haymarket, qui était à l'origine de toute cette prise de conscience s'était déroulé le 1er mai 1886.

C'est pour perpétuer ce souvenir que la fête du travail a lieu chaque année ce jour-là.

Mais contrairement à ce que pensait le père d'Heinrich Zuber, aujourd'hui, parmi les millions de personnes qui cessent le travail chaque 1er mai, combien le savent ? Et vous-même, le saviez-vous ?

ET TOUT RENTRA DANS L'ORDRE

SEPT heures du soir. Sur le trottoir d'une ville de province, un homme marche en sifflotant. Edmond Garroux a cinquante-deux ans, un léger estomac qui tire sur le dernier bouton de sa veste et une bonne tête sympathique. Sa femme l'attend pour dîner. Il vient de boucler le petit magasin de chaussures dont il est propriétaire, et il sifflote sans raison valable. C'est un heureux caractère.

Tout à coup, il porte la main à sa poitrine d'un air surpris et s'immobilise, un pied sur le passage clouté. Son visage fait une drôle de grimace. Il avance encore, un pas, deux pas, une voiture le frôle et le conducteur hurle quelque chose au passage, car il l'a pris pour un ivrogne. Une seconde voiture, plus sage, s'arrête.

Au milieu du passage clouté, Edmond Garroux ouvre la bouche, comme s'il voulait dire quelque chose, puis tend la main devant lui d'un air égaré. Cette main est rouge de sang. C'est surprenant. L'automobiliste a un réflexe immédiat : il bondit hors de sa voiture, et arrive juste à temps pour rattraper Edmond Garroux et l'empêcher de s'écrouler sur la chaussée. Tout en le soutenant, il cherche à comprendre :

« Vous êtes blessé ? On vous a attaqué ? »

Peine perdue. Si le blessé a les yeux ouverts, il ne répond pas. Sa bouche toujours ouverte sur un étonnement sans bornes, il contemple sa main rouge de sang.

Alors l'automobiliste regarde autour de lui, mais ne voit personne capable de l'aider. Une vieille dame, une petite fille qui court, un chien qui passe, la rue est quasi déserte. Que faire ? S'il laisse cet homme pour appeler la police et une ambulance, il va peut-être mourir. Où est-il blessé ? C'est difficile à voir. Le veston est imprégné de sang.

Alors sans réfléchir plus, l'automobiliste traîne Edmond Garroux dans sa voiture et l'installe sur la banquette, à côté de lui, pour le soutenir d'une main car il a peur de l'allonger, il ne sait pas pourquoi, un réflexe. Puis il conduit de la main gauche, aussi vite qu'il peut, en direction de l'hôpital. Il n'aurait pas dû faire cela. Et pourtant c'était la seule solution immédiate. Mais la vie d'Edmond Garroux le concerne désormais, bien qu'il n'y soit pour rien, et Edmond Garroux non plus.

Edmond Garroux est un Français moyen, père de famille, petit commerçant, qui n'a que de petits problèmes à sa mesure. Encore les prend-il avec philosophie, grâce à un caractère particulièrement heureux.

Son fils aîné de vingt ans a voulu faire le tour du monde en stop. Il s'est arrêté à Marseille victime d'une crise d'appendicite aiguë. Edmond

Garroux est allé le chercher et l'a ramené à sa mère en plaisantant, il y a une semaine.

« Mon fils, pour manger le monde, il faut avoir les boyaux solides ! On va te mettre une rustine, et tu repartiras. »

Sa gamine de seize ans joue les écervelées dans un cours d'art dramatique, et se prend pour une star en herbe.

« T'as raison, lui dit son père. Si tu n'y crois pas maintenant, à quatre-vingts ans, il sera trop tard ! »

La petite dernière qui a douze ans, ramène des zéros en calcul, inlassablement, et Edmond Garroux se contente de lui prédire un avenir brillant dans une école ménagère.

« Quand on ne sait pas compter, ce sont les autres qui comptent sur vous, tu seras une bonne maîtresse de maison. »

C'est donc un homme simple, gentil, qui n'a pas inventé la poudre et s'en moque. Pour vendre des chaussures, sa bonne humeur suffit.

Alors que fait-il là, évanoui sur une civière, aux urgences de l'hôpital, le ventre percé de deux balles de carabine ?

Il ne sait pas. Et l'homme qui l'a accompagné non plus ne sait pas. C'est ce qu'il explique au policier qui l'interroge tandis que le blessé disparaît en salle d'opération.

« Je l'ai trouvé dans la rue, il saignait, je l'ai ramené ici, c'est tout ce que je sais ! »

Le sauveteur est un petit homme nerveux, à l'accent portugais très prononcé. Mais il s'exprime correctement en français, car il vit en France depuis près de vingt ans. Il transpire énormément sous le coup de l'excitation, et de la peur qu'il a eue.

Le policier, un gros homme méfiant, mâchouille une cigarette sans l'allumer, car c'est interdit à l'hôpital. Dieu sait pourquoi il trouve que ce Portugais n'a pas l'air franc du collier.

« Il n'y avait personne quand vous l'avez ramassé ?

– Non... Enfin si... Mais des gens qui ne pouvaient rien faire.

– Comment ça ? N'importe qui peut appeler la police, vous y compris !

– Vous ne comprenez pas, il était blessé, il s'appuyait sur moi, je n'osais pas le lâcher, et je n'ai vu qu'une vieille qui passait et une gosse.

– Elles vous ont vu aussi ?

– J'en sais rien.

– C'est bizarre non ?

– Mais non ce n'est pas bizarre ! Pourquoi bizarre ? La vieille se serait affolée, et la gosse aussi, enfin je ne sais pas, j'ai fait ce qui me passait par la tête ! Vous n'allez tout de même pas me reprocher d'avoir ramassé un blessé ? »

Si, apparemment le gros policier a l'air de le lui reprocher. Il n'aime pas les gens qui ramassent les blessés et les trimbalent dans leur voiture jusqu'à l'hôpital. Il dit qu'un blessé, on l'allonge par terre, et on appelle Police secours. Il dit qu'il ne comprend pas pourquoi il n'y a pas de sang sur la banquette de la voiture : car il n'y en a pas. Il n'y a pas pensé. D'ailleurs, il s'en fiche. Sa voiture est vieille, il n'est pas de ces gens qui ont peur d'une goutte de sang sur leur banquette.

« N'empêche, dit le policier, c'est bizarre. Il devrait y avoir des taches.

– Ecoutez, l'hôpital est à deux cents mètres à peine. Il se tenait plié en deux, le sang n'a pas coulé plus loin que son veston, c'est tout. Par contre, moi, j'en suis couvert, regardez ! »

C'est vrai. En soutenant Edmond Garroux, le Portugais a taché ses vêtements. Et il commence à avoir envie de rentrer chez lui où sa femme et ses gosses l'attendent lui aussi. Le policier en décide autrement : vérification d'identité, au poste !

« Qu'est-ce que ça veut dire, vérification d'identité ? Voilà mes papiers, je m'appelle Josef Valdes, je suis peintre en bâtiment, et j'habite ici depuis vingt ans. Qu'est-ce que vous voulez de plus ? »

Ce que veut le gros policier ? On se le demande. Peut-être n'aime-t-il pas les Portugais tout simplement. En tout cas, il embarque Josef Valdes en lui laissant tout juste le droit de téléphoner à sa femme. Et il ne le relâche que trois heures plus tard, après lui avoir fait répéter cent fois les mêmes choses, téléphoné à son employeur et au service d'immigration, épluché ses papiers sous toutes les coutures, comme s'il avait affaire au criminel lui-même.

Pourquoi ce zèle intempestif ? Mystère. Quoi qu'il en soit, lorsque le gros policier se rend enfin sur les lieux de l'agression, le lendemain matin, il n'a aucune chance d'y rencontrer le tireur, c'est évident. Il interroge les commerçants qui n'ont rien vu et rien entendu, toutes les boutiques étant fermées à l'heure où Edmond Garroux passait par là.

L'interrogatoire de sa femme n'éclaire pas l'enquête. Personne n'en voulait à son mari, qui n'a jamais fait de mal à personne. Les amis d'Edmond Garroux confirment. C'est un fou qui a tiré sur lui à n'en pas douter. Ou quelqu'un qui s'est trompé de cible. Rien, absolument rien dans la vie de cet homme charmant ne peut justifier une telle agression.

Edmond est gravement atteint. Le médecin interdit les visites. Il a subi deux opérations compliquées et n'est pas en état de répondre à des questions. Le seul témoin, c'est Josef Valdes que le gros policier ne se prive pas de tarabuster contre toute logique d'ailleurs.

Durant quelques jours l'affaire fait le tour de la ville. On parle du tueur fou, et les supérieurs du gros policier s'énervent :

« Alors ? Ça avance votre enquête ? Dépêchez-vous, mon vieux. Nous sommes à quinze jours des élections municipales, le maire n'a pas envie de laisser traîner cette histoire. C'est mauvais pour le moral des électeurs. »

Tant et si bien qu'une semaine plus tard, on perquisitionne chez Josef Valdes, alors qu'il est à son travail. Et triomphalement le gros policier ramène une carabine soigneusement enveloppée de chiffons et dissimulée (si l'on peut dire) sur une étagère de sa cave.

Ce n'est pas l'arme qui a blessé Edmond Garroux, mais c'est une arme et Josef Valdes n'a pas de permis ! Alors... Le gros policier se frotte les mains, il a trois jours de garde à vue pour faire avouer son suspect !

Il ne faudrait pas être nerveux. Il ne faudrait pas être coléreux, bref, il ne faudrait pas être aussi méditerranéen que Josef Valdes, avoir aussi bon cœur que lui, et en même temps si mauvais caractère.

Ce petit homme au teint légèrement basané est exactement le contraire d'Edmond Garroux, l'homme qu'il a sauvé. Car il l'a sauvé, c'est certain. En étant rapide dans sa décision, en évitant au maximum de le changer de position, il a permis de réduire l'hémorragie, d'éviter des déchirements internes et, grâce à lui, Edmond Garroux a de bonne chances de s'en tirer.

Pourtant « on » l'accuse, « on » le traque, « on » lui reproche d'avoir une carabine de chasse, et pas de permis. « On » n'admet pas qu'il ait pu oublier de le demander depuis trois ans qu'il n'a plus le temps de chasser. « On » pense que s'il a une arme, il pourrait en avoir une autre et qu'il a pu attaquer Edmond Garroux, pour une raison ignorée.

C'est dingue, c'est fou, complètement dément comme raisonnement. Basé sur rien de précis, sinon la présence de cet homme au moment où Edmond vacillait en plein milieu de la rue. Bien entendu aucun témoin. L'automobiliste qui précédait Josef et a failli écraser Edmond, ne s'est pas manifesté. Lâcheté, ignorance, allez donc savoir.

Et ce « on » qui accuse, c'est le gros policier mou. Il s'est rendu au chevet d'Edmond Garroux, sorti du coma, il a demandé :

« Qui vous a agressé ?

– Je ne sais pas.

– Connaissez-vous l'homme qui vous a amené à l'hôpital ?

– Un homme m'a amené à l'hôpital ?

– Oui. Un Portugais nommé Josef Valdes. Vous ne vous souvenez pas ?

– Non.

– Alors que s'est-il passé ? De quoi vous souvenez-vous ?

– De rien. Je marchais dans la rue c'est tout, après je ne sais plus. »

Edmond a subi un choc, c'est évident. Un tel choc qu'il a perdu conscience tout en restant debout, les yeux ouverts. Mais le gros policier soupçonne autre chose que cette simple explication donnée par le médecin. Il a besoin de soupçonner, besoin de se faire valoir, de justifier son titre et ses appointements, besoin peut-être de prouver à sa femme ou à ses gosses, ou à ses collègues, qu'il est quelqu'un. C'est la première fois qu'il s'occupe d'une affaire criminelle, d'une vraie. Il se prend pour Maigret, sûrement.

Il y a vingt-quatre heures qu'il tourmente Josef Valdes, vingt-quatre heures qu'il subit les assauts de sa famille ulcérée, du patron de Josef, des amis de Josef et il s'enferre dans son idée stupide : découvrir le mobile et l'arme du crime. Il voit déjà sa photo dans les journaux, il reçoit déjà les félicitations du préfet. Et il ne voit pas, assise sur un banc dans le commissariat, une femme vêtue de noir.

Elle veut rencontrer un policier. Le planton méfiant lui a demandé pourquoi.

« A cause de mon mari », a répondu la femme laconiquement.

Mais elle n'a pas voulu en dire plus. Comme le commissariat est surexcité par l'enquête du gros policier, et ne parle que de ça, on l'a un peu oubliée. De temps en temps, elle tire un uniforme par la manche :

« S'il vous plaît, monsieur... »

On lui répond, agacé, que l'inspecteur est occupé. Alors elle s'en va. Parce qu'il le faut, elle a son marché à faire, et la cuisine et le déjeuner. Son mari ne supporterait pas son absence. Il ne supporte rien. Puis elle revient vers trois heures de l'après-midi, après la vaisselle, avec son tricot, et attend comme le matin. Le planton est agacé :

« Vous ne voulez pas me dire pourquoi vous voulez voir l'inspecteur?
– Non.
– Mais il est occupé, il ne peut pas vous recevoir comme ça... Si vous ne voulez rien me dire, ce n'est pas la peine d'attendre.
– Je ne pourrai pas revenir un autre jour.
– Pourquoi?
– Parce que mon mari est sur un chantier en dehors de la ville aujourd'hui. Il ne peut pas me surveiller. Demain, il sera là, et je ne pourrai plus sortir. »

Le planton s'intéresse à cette histoire : un mari qui empêche sa femme de sortir?

« Il vous surveille tant que ça?
– Il est très jaloux, monsieur. Il est fou de jalousie. Chez nous, en Sicile, les hommes sont comme ça...
– Ah! vous êtes sicilienne?
– Oui, monsieur...
– Alors comme ça votre mari vous surveille de près? Et qu'est-ce qu'il ferait s'il vous trouvait dehors?
– Il me battrait, parce qu'il l'a défendu.
– Et pourquoi ça?
– Parce qu'il croit que je l'ai trompé, alors je ne peux plus sortir...
– Ah!... et vous l'avez trompé?
– Non. Mais il le croit. Et il est devenu méchant. »

Le planton poursuit sa petite enquête, en toute tranquillité. Après tout, il n'a rien d'autre à faire. Tout le monde est mobilisé par le crime, comme dit le gros policier, sauf lui. Alors il s'intéresse au cas de cette femme. Et il trouve bizarre qu'un mari soit jaloux à ce point. Elle n'est pas très jolie cette femme-là, ni très jeune, toute noire, et assez insignifiante.

« Il y a longtemps qu'il est comme ça votre mari ?

— Toujours, monsieur, c'est parce que je n'ai pas eu d'enfant. Il a peur que j'aille avec d'autres hommes. Il dit que c'est facile quand on ne peut pas avoir d'enfant, et que le diable nous tente. Mais ce n'est pas vrai.

— Et qu'est-ce que vous voulez qu'il y fasse l'inspecteur ? C'est pas ses oignons ça, ma pauvre dame...

— Je dois lui expliquer ce que mon mari a fait.

— Ah ! il a fait quelque chose ?

— Oui. Mais il ne faut pas le répéter à tout le monde, parce qu'il me tuerait.

— Oh !... il en est capable ?

— Oh ! oui monsieur, il a un fusil. C'est justement... »

Le planton se sent tout à coup, lui aussi, une âme de fin limier :

« Tiens... Tiens... et il s'en servirait ? »

La femme a un hochement de tête peureux, tandis que le planton réfléchit. Puis se décide.

« Bon, vous venez dans le bureau à côté, je vais prendre votre déclaration.

— Vous êtes inspecteur ?

— Je suis le chef, ici, il n'y a personne d'autre. »

Docilement, la femme suit le planton dans un bureau vide, où il s'installe en se rengorgeant :

« Je vous écoute. »

Il écoute donc, elle parle, et il en reste comme deux ronds de flan. Il fait même répéter deux fois. Puis il tape aussi vite qu'il peut sur une machine bancale la déposition de la femme, la fait signer, lui ordonne de ne pas bouger, et galope dans le bureau du gros inspecteur.

Le policier transpire devant un Josef Valdes, furieux et rouge de colère, qui répète pour la centième fois la même chose :

« Vous êtes des abrutis ! Si j'avais attaqué ce pauvre homme, pourquoi est-ce que je l'aurais amené à l'hôpital ? »

Le planton essoufflé interrompt cet intéressant dialogue :

« Chef ! On tient l'assassin !

– Comment ça, " on " tient l'assassin ? Qui le tient ?

– Moi, chef ! Enfin pas lui, mais sa femme, lisez, chef, lisez ! »

Le planton jubile. Il y a de quoi ! Car voici ce que lit le gros policier, en marmonnant :

« Je soussignée Alba Celdi, italienne, née le 2 octobre 1902 à Campo Bello, Sicile, déclare :

« Il y a trois semaines, je me trouvais dans notre appartement avec mon mari Salvatore, lorsqu'un caillou est venu frapper la vitre du balcon qui était ouverte. Mon mari est allé voir sur le balcon et a insulté un homme qui criait sur la place : « Eh la belle, tu serais fière d'avoir un « mari comme moi ? »

Question : Connaissez-vous cet homme ?

Réponse : Non. Il jouait aux boules avec d'autres hommes, à l'heure du déjeuner sur la place. Mais mon mari, qui est très jaloux, a cru que c'était mon amant.

Question : Pourquoi l'a-t-il cru ?

Réponse : Parce qu'il croit toujours que j'ai un amant et le cherche depuis des années, et puis aussi parce qu'il s'est trompé. L'homme sur la place était en train de plaisanter avec une jeune fille qui était au balcon à l'étage au-dessus de chez nous. Il a voulu lui lancer un caillou et a manqué le troisième étage. Le caillou est tombé chez nous... »

Le gros policier interrompt sa lecture et devient rouge de colère :

« Qu'est-ce qui vous prend de vous ficher de moi avec de pareilles sottises ? Quel rapport avec le crime, hein ? Et de quoi je me mêle ?

– Mais, chef, attendez, attendez ! Le type qui plaisantait en jouant aux boules, c'était Edmond Garroux, la victime, et le Sicilien a cru qu'il était l'amant de sa femme, il l'a cru vraiment, il s'est mis à hurler « M'a fa cornata ».

– Qu'est-ce que ça veut dire ?

– En français : « Il m'a fait cocu », chef !

– Et après ?

– Et bien, après, il a juré de se venger. Et sa femme est sûre que c'est lui qui a tiré sur Edmond Garroux, dans la rue.

– Et pourquoi en est-elle sûre ?

– Parce qu'il a pris son fusil et qu'il est sorti avec plusieurs soirs de suite, après avoir interdit à sa femme de quitter la maison. Elle a entendu parler du " crime " ces jours-ci, et elle a peur; elle a profité de ce que son mari était sur un chantier pour venir le dénoncer. Seulement, elle a peur de rentrer chez elle, maintenant. »

Le gros policier est bien embêté. Et Josef Valdes, le Portugais, encore plus furieux de le voir hésiter.

« Alors ? Qu'est-ce que vous attendez pour y aller maintenant ? Vous avez peur ? »

Le fusil était dans l'armoire du Sicilien. Il ne fit presque pas de difficulté pour reconnaître qu'il s'était vengé. L'essentiel de sa déclaration se résumait à la seule expression sicilienne : « M'a fa cornata »... comme si la justification était évidente. Si « m'a fa cornata, je tire deux balles sur l'homme ». Voilà.

Lorsque Edmond Garroux, remis de ses blessures, a pu entendre le fin mot de l'histoire, il s'est rappelé lui aussi la petite scène. La jeune fille au balcon était une amie de sa propre fille, et comme d'habitude il avait voulu plaisanter, innocemment. Tous les jours ou presque, il faisait une partie de boules sur la place, avec le patron du café, l'épicier, et quelques autres. La jeune fille, elle, guettait son amoureux au balcon du troisième étage. Et au deuxième, il y avait le fou, le Sicilien jaloux par principe, qui interdisait à sa femme de lever les yeux sur un autre homme que lui, qui calculait le temps du marché, la guettait à la sortie de l'église, et entretenait dans sa tête une jalousie stupide et sans fondement depuis des années. Un vaudeville qui avait failli tourner au tragique. Qui tourna au tragique : ce fut la fin de l'avancement et de la carrière du gros policier qui se prenait pour Maigret, et voulait un coupable à tout prix, fût-il portugais, brave cœur et innocent. Ça existe ce genre de chose.

Du moins ça eût existé, comme on dit, à l'automne de 1950, dans une brave petite ville de province. Mais le procès fut discret sur ce point, sauf l'avocat de Josef Valdes qui n'hésita pas à parler de racisme primaire et de mauvais traitements policiers...

« Allons, maître, lui dit le juge, vous exagérez votre pensée... parlons de faute professionnelle si vous le voulez bien. »

Et tout rentra dans l'ordre.

PAS UN DOLLAR DE PLUS

1929, c'est la crise aux Etats-Unis, et toute ressemblance avec des crises ou des pays actuellement existants ne serait que pure coïncidence... Superproduction, saturation du marché, abus de la spéculation boursière, viennent de déclencher le plus grand krach de tous les temps. Wall Street s'est effondré avec un grand bruit de dollars qui sonnent creux. Les petits rentiers sont ruinés, les gros s'arrachent les cheveux, les chômeurs font la queue dans les soupes populaires.

L'Amérique est tombée de haut, du haut de ses 87 milliards de revenu national. Ça fait mal, et quelques hommes d'affaires tentent le grand saut de la mort, persuadés que le manque d'argent fait le malheur. Mais, pour beaucoup d'Américains, survivre dans cette débâcle, c'est avoir une combine. Et en attendant de la trouver, on fait le siège des bureaux d'embauche en épluchant les petites annonces des journaux.

En ce jour de 1929, dans une file d'attente, un quidam lit le *New York Post*, et tombe dans la rubrique « Divers » sur une annonce intrigante, en gros caractères et encadrée :

« ENVOYEZ-MOI UN DOLLAR, 35, 12e AVENUE, HAROLD WILLEMS. »

En voilà un qui ne manque pas de culot. Envoyez-moi un dollar, comme ça, au prix où est le dollar par les temps qui courent, il se prend pour qui ? Encore un truc publicitaire, se dit le quidam.

Réflexion faite, c'est curieux tout de même, une annonce comme celle-là, encadrée et en grosses lettres. Cela coûte plus d'un dollar, justement ! Alors on en parle un peu dans la ville et dans les cafés, et le bouche à oreille multiplie les effets de l'étrange petite annonce.

« Vous avez vu ? Un type qui demande un dollar, et il donne son adresse.

– Ah ! bon ! Une blague ! Mais quand même, c'est dans le journal.

– Vous croyez à une nouvelle société ?

– Mais non, c'est un lancement publicitaire !

– Oui, mais de quoi ? C'est peut-être intéressant... »

Le lendemain, toujours dans le *New York Post*, en un peu plus grand, l'annonceur récidive :

« ENVOYEZ-MOI UN DOLLAR, 35, 12e AVENUE, HAROLD WILLEMS. »

Les commentaires vont bon train, et les suppositions reprennent :

« Moi je vous dis qu'il y a quelque chose là-dessous, à mon avis c'est un type qui a trouvé une combine en bourse.

– Mais un dollar, c'est ridicule !
– Pas du tout, ça dépend du nombre de participants, voyons... »
Le surlendemain, toujours dans le *New York Post*, en un peu plus grand, une nouvelle annonce :

« ENVOYEZ-MOI UN DOLLAR, 35, 12e AVENUE, HAROLD WILLEMS. »

Pour qu'un annonceur persiste à ce point sans donner d'information supplémentaire, c'est vraiment qu'il y a quelque chose. Et dès ce troisième jour, une sorte de psychose se répand chez les lecteurs du *New York Post*, l'un des plus grands journaux de la ville, l'un des plus lus, un journal sérieux !
Alors, sans que l'on sache comment, ni par qui, une information se répand et atteint toutes les couches de la société, du petit commerçant au retraité méfiant, du traîne-savate à l'homme d'affaires.
« Il paraît que ce Harold Willems est un philanthrope, un milliardaire un peu fou ! Il enverra un magnifique cadeau à tous ceux qui lui auront fait confiance, il fait ça pour remonter le moral du pays, c'est un idéaliste, un vrai Américain qui a foi en son pays. »
Le quatrième jour, toujours dans le *New York Post*, en un peu plus grand :

« ENVOYEZ-MOI UN DOLLAR, 35, 12e AVENUE, HAROLD WILLEMS. »

Toujours rien de plus, toujours la même petite phrase sèche et impérieuse.

Alors un autre bruit galope dans New York, c'est une information sûre, cette fois, un tuyau increvable : « C'est un businessman de génie, il a une idée fantastique, il va créer une puissante société industrielle, avec des petites souscriptions, et il ne prend qu'un dollar par tête, pas plus, il refuse que l'on en donne plus. »

C'est extraordinaire, et au 35, 12e Avenue, il y a la queue. Chaque souscripteur déposant son dollar obtient, en contrepartie, un petit reçu honnête, signé Harold Willems, mais qui n'en dit pas plus sur la destination dudit dollar.

Quant à Harold Willems lui-même on ne le rencontre pas. L'individu morose, à col de celluloïd, qui engrange et distribue les reçus n'est apparemment qu'un employé : « Je ne sais rien, je suis là pour compter, je ne sais pas pourquoi », et « Dépêchez-vous, il y a du monde derrière, on ferme à cinq heures ! » grogne-t-il.

Le cinquième jour, toujours dans le *New York Post*, au même emplacement, surgit un texte un peu différent :

« ATTENTION, JE NE RECEVRAI VOTRE DOLLAR QUE JUSQU'AU 15 DU MOIS. »

Suit l'adresse habituelle, 35, 12e Avenue, Harold Willems.

Fouettés par cette menace, sentant la bonne combine leur échapper, les souscripteurs se multiplient, et le facteur dépose plusieurs centaines de lettres chez la concierge du 35, 12e Avenue.

Dans ce flot de courrier, il y a des propositions diverses, des demandes de renseignements, des injures, mais beaucoup de billets de un dollar, et même des chèques.

Le plus extraordinaire est que toute somme supérieure à un dollar est immédiatement refusée; les clients de Harold Willems doivent se soumettre à la règle, on ne triche pas! Et cette rigueur impressionne énormément l'opinion.

Le sixième jour, rien ne paraît dans le *New York Post.* Le septième jour non plus, le huitième non plus...

Le neuvième voit naîre un nouvel encadré dans le *New York Post :*

« VOUS N'AVEZ PLUS QUE DEUX JOURS POUR M'ENVOYER VOTRE DOLLAR, PASSÉ CE DÉLAI, VOTRE DOLLAR SERA IMPITOYABLEMENT REFUSÉ. »

Cette fois, c'est l'émeute, au 35, 12e Avenue.

Le policeman de service est obligé de demander du secours pour organiser un service d'ordre. Par centaines, par milliers, les amateurs de bonne combine se pressent au long de l'avenue. On discute, on veut passer avant les autres, on brandit les billets. L'imminence de la fermeture a fouetté le portefeuille des amateurs de placements.

Apercevant la file interminable, les passants non prévenus s'informent, et la plupart s'arrêtent pour prendre leur tour. Un dollar c'est peu, et on ne sait jamais. La vie est tellement incertaine, l'avenir si problématique que la moindre chance doit être saisie.

La police fait un cordon, et réglemente le débit de la foule à l'entrée du 35, 12e Avenue, où le petit employé morose, à col de celluloïd, continue de distribuer les reçus avec mauvaise humeur.

Il confirme d'ailleurs que la caisse sera fermée demain à cinq heures, mais définitivement cette fois, et que l'on ne prendra plus de dollars ! C'est ainsi ! M. Harold Willems ne fera aucune dérogation, n'accordera aucun passe-droit !

Les heures tournent et les souscripteurs défilent à un rythme accéléré. Il y a même des bagarres !

Certains fraudeurs ayant déjà donné reprennent la queue, pour tenter de tricher et verser un autre dollar, mais la foule veille... et de toute façon, le petit employé morose à col de celluloïd est intraitable : à chaque dollar, on montre sa carte d'identité, et le reçu est établi au nom indiqué. Il affirme que c'est la loi et qu'il ne peut faire autrement !... et il est physionomiste, le bougre. De plus, il a établi un registre alphabétique et ne peut pas se tromper.

Le dernier jour, le 15 du mois donc, il y a tant de monde au 35, 12e Avenue que le malheureux caissier manque d'être lynché, pour avoir tenté de fermer sa porte à l'heure du déjeuner. Il y renonce d'ailleurs assez vite, devant la perspective d'une émeute, et reprend son inlassable débit de reçu à un dollar.

Mais à cinq heures, impitoyablement, c'est FINI, on ne prend plus les dollars. L'employé ferme les portes. Il en appelle à la force de l'ordre pour disperser la foule mécontente. M. Willems, Harold de son prénom, tient ses engagements, c'est le dernier jour, c'est l'heure, on ferme !

Et le petit employé morose à col de celluloïd s'en va, par une porte dérobée. Il disparaît dans la grande ville de New York. Il disparaît dans le grand pays des Etats-Unis d'Amérique, en 1929, au temps de la prohibition, des gangsters et des règlements de compte, au temps de la crise économique.

Il se fiche complètement de la crise, le petit employé morose, au col de celluloïd. Il a plus de 300000 dollars en poche. 300000! et il s'appelle Harold Willems, bien entendu. Et il n'est plus morose, et il peut jeter son col de celluloïd aux orties.

Comment dites-vous, escroquerie? abus de confiance? Il semble bien que oui, en effet. Dans les jours qui suivent, les semaines et les mois, les commissariats du quartier, les tribunaux sont submergés de plaintes. 300000 gogos à un dollar par tête se plaignent de n'avoir rien reçu en échange. Or ils se trompent! Ils ont un reçu signé Harold Willems et Harold Willems n'a rien promis d'autre. Il est donc normal qu'il n'ait rien donné! Il a juste imprimé dans un journal une petite phrase précise : « Envoyez-moi un dollar. » C'est tout, et il n'a pas dit pourquoi, c'était son droit. Il a même ajouté que, passé un certain délai, les dollars seraient impitoyablement refusés, ce qu'il a fait. De plus, les reçus sont nominatifs, conformes à la loi, et conformes à l'annonce : « Reçu de Monsieur Untel la somme de un dollar. » Point à la ligne.

La justice américaine ne va tout de même pas ouvrir 300000 dossiers à un dollar, pour 300000 plaignants différents, qui se plaignent d'ailleurs, et avant tout, d'être stupides. Le dépôt de plainte coûte plus cher que le dollar.

Et il n'y a rien à faire, hélas! Si l'on vous

demande un dollar et que vous le donnez, tout est légal. Mais qui était Harold Willems ? L'histoire n'a gardé de lui que la vague description fournie par ses dupes : petit, l'air morose, un col de celluloïd, moustache ou pas ? Les témoins n'étaient même pas d'accord. D'ailleurs, quelle importance ? Personne ne l'a jamais revu, personne n'en a plus entendu parler, jamais !

Il y a des milliardaires heureux qui s'arrangent pour ne pas avoir d'histoire.

TABLE

Le premier client 5
Un crime hors de prix 12
Le silence 19
Quoi de neuf, Pussy Cat ? 25
Un embouteillage monstre 32
Le château maudit 39
Lequel des deux ? 48
Un assassin dans la ville 57
« El Carnero » 68
Miss Poubelle 79
La Madame 90
Arrêt d'autocar 97
Flou en noir et blanc 105
Ce qu'il fallait démontrer 112
Vieille demoiselle présentant bien 117
Le crime impossible 124
Des yeux vous observent 136
Le petit homme en imperméable 145
Une ville propre 151
L'*U 31* 158
Le bal d'un vampire 165
Je suis coupable ! 172
Le dernier millième de seconde 179
Une date qu'il ne faut pas oublier 192
Et tout rentra dans l'ordre 199
Pas un dollar de plus 212

IMPRIMÉ EN FRANCE PAR BRODARD ET TAUPIN
58, rue Jean Bleuzen - Vanves - Usine de La Flèche.
LIBRAIRIE GÉNÉRALE FRANÇAISE - 14, rue de l'Ancienne-Comédie - Paris.
ISBN : 2 - 253 - 03521 - 1

30/5973/0